D0834139

DE DOCHTER VAN DE MINNARES

A.M. HOMES BIJ DE BEZIGE BIJ

Dit boek redt je leven
Wat je moet weten
Het einde van Alice

A.M. Homes

De dochter van de minnares

Vertaling Wim Scherpenisse en Gerda Baardman

2007

DE BEZIGE BIJ

AMSTERDAM

Inhoud

Ter nagedachtenis aan Jewel Rosenberg en
ter ere van Juliet Spencer Homes

Je kunt op twee manieren leven: alsof niets een wonder is en alsof alles een wonder is.

ALBERT EINSTEIN

Deel 1

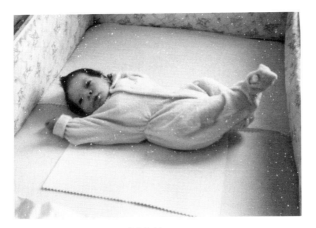

A.M. Homes

Joe en Phyllis Homes

Bruce Homes

A.M. en Jon Homes

De dochter van de minnares

Ik weet nog dat ze dringend vroegen of ik even in de huiskamer wilde komen zitten en dat die donkere kamer me plotseling bedreigend voorkwam; ik stond in de deuropening naar
de keuken met een jamdonut terwijl ik nooit jamdonuts eet.

Ik weet nog dat ik het niet snapte, dat ik eerst dacht dat er
iets ergs was, een sterfgeval – dat er iemand dood was.

En toen het moment dat ik het wel snapte.

Kerstmis 1992. Ik ga naar Washington, op bezoek bij mijn
ouders. Diezelfde dag, 's avonds na het eten, zegt mijn moeder: 'Kom even in de woonkamer zitten. We hebben iets te
vertellen.' Ik word zenuwachtig van de manier waarop ze het
zegt. Mijn ouders doen nooit zo officieel, wij gaan nooit in
de woonkamer zitten. Ik sta in de keuken. De hond kijkt naar
me op.

'Kom even in de woonkamer zitten,' zegt mijn moeder.

'Waarom?'

'We hebben iets te vertellen.'

'Wat dan?'

'Kom even zitten.'

'Kun je het zo niet vertellen?'

'Kom nou even zitten.'

'Vertel het zo maar.'

'Kom nou maar,' zegt ze, en ze klopt op de plaats op de bank naast zich.

'Wie is er dood?' vraag ik hevig geschrokken.

'Niemand. Er is niemand dood.'

'Wat is er dán?'

Ze zeggen niets.

'Heeft het met mij te maken?'

'Ja. We zijn gebeld. Er is iemand naar je op zoek.'

Na decennia lang in een soort getuigenbeschermingsprogramma te hebben geleefd ben ik nu ontmaskerd. De volgende ochtend bij het opstaan weet ik iets nieuws over mezelf: ik ben de dochter van de minnares. Mijn echte moeder was jong en ongetrouwd, mijn vader was ouder en had een vrouw en kinderen. Na mijn geboorte in december 1961 werden mijn pleegouders door een advocaat gebeld. 'Uw pakketje is er,' zei hij. 'Er zitten roze linten omheen.'

Mijn moeder begint te huilen. 'Je hoeft niet terug te bellen als je geen zin hebt,' zegt ze in een poging de last van mijn schouders te nemen. 'Maar die advocaat zei dat hij graag even met je zou willen praten. Hij was ontzettend aardig.'

'Vertel nog eens wat er precies is gebeurd?'

Details, bijzonderheden, alsof de feiten, de gestelde vragen en de gegeven antwoorden, alles begrijpelijk zullen maken, overzichtelijk, duidelijk, en – bovenal – logisch.

'Een paar weken geleden werden we gebeld door Stanley Frosh, de advocaat die destijds de adoptie heeft geregeld. Hij vertelde dat hij een telefoontje had gekregen van een vrouw die zei dat je contact met haar mocht opnemen als je daarvoor voelde.'

'Hoezo, "contact mocht opnemen"? Wil zij met mij praten?'

'Dat weet ik niet,' zegt mijn moeder.

'Wat zei die Frosh dan?'

'Hij was ontzettend aardig. Hij zei dat hij dat telefoontje had gekregen, één dag voor je verjaardag. Hij wist niet of wij erop wilden reageren, maar hij wilde het ons wel doorgeven. Wil je weten hoe ze heet?'

'Nee,' zeg ik.

'We hebben nog gedubd of we het je wel moesten vertellen,' zegt mijn vader.

'Gedubd? Hoe kun je zoiets nou níet vertellen? Jullie hebben het recht niet om het achter te houden. Stel dat jullie iets was overkomen en ik het pas na jullie dood toevallig had gehoord?'

'Maar we hébben het toch niet achtergehouden,' zegt mijn moeder. 'Frosh zei dat je hem altijd kunt bellen.' Ze houdt mij Frosh voor alsof hij iets voor me kan doen – alles goedmaken bijvoorbeeld.

'Het is al een paar weken geleden en jullie vertellen het me nu pas?'

'We wilden wachten tot je thuis was.'

'Waarom heeft Frosh jullie gebeld? Waarom mij niet?' Ik was eenendertig en volwassen, en zij behandelden me nog steeds als een klein kind dat beschermd moest worden.

'Dat vervloekte mens ook,' zegt mijn moeder. 'De brutaliteit.'

Mijn moeders nachtmerrie was werkelijkheid geworden; ze was altijd al bang geweest dat iemand me van haar zou afpakken. Ik was met het besef van die angst opgegroeid en wist half bewust dat ze niet echt bang was dat iemand me weg zou halen, maar dat het kwam doordat haar eerste kind, haar zoon, vlak voor mijn geboorte was gestorven. Ik ben groot geworden met het besef dat mijn moeder zich diep vanbinnen nooit meer echt aan iemand zou kunnen hechten. Met het gevoel op een afstand te worden gehouden. Het maakte me woedend. Ik was bang dat er iets met me mis was, dat ik een aangeboren afwijking had waardoor ik afstotelijk en onaardig was.

Mijn moeder kwam naar me toe. Ze wilde me omhelzen. Ze wilde dat ik haar troostte.

Ik wilde haar niet omhelzen. Ik wilde niemand aanraken. 'Weet Frosh zeker dat ze is wie ze beweert te zijn?'

'Hoe bedoel je?' vroeg mijn vader.

'Weet hij zeker dat het de goede vrouw is?'

'Volgens mij is hij daar behoorlijk zeker van,' zei mijn vader.

De breekbare, brokkelige vertelling, de dunne verhaallijn, de plot van mijn leven, is van het ene op het andere moment gewijzigd. Ik kamp met de scheidslijn tussen sociologie en biologie: de chemische DNA-ketting die nu eens als een fraai versiersel om je hals hangt – je geboorterecht, je voorgeschiedenis – en dan weer als een verstikkende keten.

Ik ben me vaak bewust geweest van het verschil tussen wie ik oorspronkelijk was en wie ik geworden ben; van de vele lagen die zich op me hebben afgezet, zodat ik me nu voel alsof ik onder een lelijk vernis schuilga, onder de goedkope lambrisering van een speelkamer.

Als kind was ik gefascineerd door de jeugdencyclopedie, de glimmende pagina's over de menselijke anatomie waarmee je een mens in elkaar kon zetten: het skelet, de bloedvaten, de spieren, laagje na laagje, totdat alles compleet was.

Eenendertig jaar lang heb ik geweten dat ik ergens anders

vandaan kwam, mijn leven als iemand anders was begonnen. Er zijn momenten geweest dat ik opgelucht was dat ik niet van mijn ouders afstam, dat ik niet word belast door hun biologie; maar daarna komt een heftig gevoel van anders-zijn, de pijn van mijn eenzaamheid.

'Aan wie hebben jullie het nog meer verteld?'

'Aan Jon,' zegt mijn vader. Jon, mijn oudere broer, hun zoon.

'Waarom? Daar hadden jullie het recht niet toe.'

'We zeggen niks tegen oma,' zegt mijn moeder.

Het is het eerste belangrijke wat ze haar niet meer willen vertellen – ze is te oud, te verward om hun tot steun te kunnen zijn. Ze zou ermee op de loop kunnen gaan, het met andere dingen combineren en er een heel ander verhaal van maken.

'Denk je eens in hoe ík me voel,' zegt mijn moeder. 'Ik kan het niet eens aan mijn eigen moeder kwijt. Zij kan me niet meer troosten. Het is afschuwelijk.'

Mijn moeder en ik zitten elkaar zwijgend aan te kijken.

'Had je liever gehad dat we niets hadden gezegd?' vraagt ze.

'Nee,' zeg ik berustend, 'dat had ik niet gewild. Ik moest het weten. Het is mijn leven, ik moet het een plaats geven.'

'Frosh zei dat je hem altijd kunt bellen,' zegt ze nog eens.

'Waar woont ze?'

'In New Jersey.'

In mijn dromen is mijn echte moeder een godin, de oppervorstin, de president en de financieel en technisch directeur. Ze is zo mooi als een filmster en onvoorstelbaar slim, ze kan alles en iedereen aan. Ze heeft een fantastisch leven als heerseres over de wereld, waaraan maar één ding ontbreekt – ík.

Ik zeg welterusten en laat me meevoeren door de draaikolk van het verhaal, de mythe van mijn ontstaan.

Mijn pleegouders trouwden pas toen mijn vader al veertig was. Mijn moeder, die acht jaar jonger was, had een zoon uit een eerder huwelijk, Bruce, die was geboren met een ernstige nierafwijking. Hij stierf een halfjaar voor mijn geboorte, negen jaar oud. Samen kregen mijn vader en moeder Jon. Tijdens zijn geboorte scheurde de baarmoederwand, en zowel zij als Jon overleefde het maar op het nippertje. De baarmoeder werd inderhaast operatief verwijderd en mijn moeder kon geen kinderen meer krijgen.

'We hebben geboft dat we het hebben gered,' zei ze. 'We wilden altijd meer kinderen. Drie. We wilden een meisje.'

Wanneer ik als klein kind vroeg waar ik vandaan kwam, zei mijn moeder altijd dat ik van het Joods Maatschappelijk Werk kwam. In mijn tienerjaren vroeg mijn therapeut me vaak: 'Lijkt het je niet raar dat zo'n instelling een kindje aan een gezin zou toewijzen waar een halfjaar daarvoor een ander kind is gestorven – een gezin dat nog in de rouw is?' Ik haalde mijn schouders op. Het leek me tegelijkertijd een goed en een heel slecht idee. Ik heb altijd het gevoel gehad dat mijn rol in het gezin was dingen glad te strijken, alles goed te maken – de plaats van een dode jongen in te nemen. Ik was van jongs af aan in smart ondergedompeld. Vanaf de eerste dag waren al mijn lichaamscellen permanent in de rouw.

Je hebt folklore, je hebt mythen, je hebt feiten – en je hebt vragen waarop geen antwoord komt.

Als mijn ouders meer kinderen wilden, waarom bouwden ze dan een huis met maar drie slaapkamers – wie moest er bij wie op de kamer? Ik ging ervan uit dat ze wisten dat Bruce dood zou gaan. Misschien wilden ze wel drie kinderen, maar ze rekenden maar op twee.

Toen ik mijn moeder vroeg hoe het kon dat een stichting een gezin vlak na de dood van een kind een nieuwe baby had toegewezen, zei ze niets. En op een donkere wintermiddag, toen ik twintig was, drong ik erop aan dat ze me meer zou vertellen, meer details zou geven. Ik deed dat altijd op zwakke momenten, bijzondere dagen zoals Bruce' verjaardag, zijn sterfdag of mijn eigen verjaardag – momenten dat ze kwetsbaar leek, dat ik een barst in het oppervlak vermoedde. Waar kwam ik vandaan? Niet van een of andere instelling, maar via een advocaat; het was een particuliere adoptie.

'We hebben ons bij diverse instellingen ingeschreven, maar er waren geen baby's beschikbaar. Ze raadden ons aan hier en daar eens te informeren, mensen te vertellen dat we een baby wilden adopteren.'

Elke aardschok, elke verschuiving in de structuur van het wankele bouwsel dat ik om me heen had opgetrokken, deed mijn identiteit op haar grondvesten schudden. Wat werd er nog meer voor me geheimgehouden en hoeveel was er in vergetelheid geraakt, ongemerkt uitgewist of in de loop der tijd geleidelijk aangepast?

Ik vroeg het nog eens: 'Waar kom ik vandaan?'

'We zeiden tegen iedereen dat we een baby zochten en toen hoorden we een keer dat er binnenkort een baby geboren zou worden, en dat was jij.'

'Hoe hoorde je dan van mij?'

'Via een vriendin. Herinner je je mijn vriendin Lorraine nog?' Ze doelde op een vrouw die ik ooit, lang geleden, had ontmoet. Lorraine kende een ander echtpaar dat ook een baby wilde adopteren, maar het bleek dat zij via via te weten waren gekomen wie de moeder was. Dat werd me verteld alsof het iets verklaarde – alsof de hele onderneming zinloos was als je wist wie de moeder was, niet omdat er iets mis was met de moeder, maar omdat je dat nu eenmaal niet hoorde te weten.

Als volwassene vroeg ik mijn moeder of ze Lorraine wilde bellen, of ze haar wilde vragen de mensen te bellen die via via te weten waren gekomen wie mijn moeder was en naar haar naam te vragen. Mijn moeder weigerde. Misschien hebben die mensen wel andere kinderen die niet weten dat ze geadopteerd zijn, zei ze.

Wat heeft dat met mij te maken? En wat onvoorstelbaar gestoord dat iemand zijn kinderen niet zou vertellen dat ze geadopteerd zijn.

Uiteindelijk belde mijn moeder Lorraine, maar die zei: 'Laat het rusten.' Ze beweerde niets te weten. Wie beschermde ze? Wat hield ze achter?

Mijn moeder herinnerde zich iets van onroerend goed, en een naam, maar niet genoeg. Waarom wist ze het niet meer? Zoiets vergat je toch niet?

'Ik wilde het me niet herinneren. Ik wilde niets weten. Ik vond dat ik je moest beschermen. Hoe minder ik wist, hoe beter. Ik was bang dat ze terug zou komen om je van me af te pakken.'

'Goed, terug naar het begin – je hoorde dat er binnenkort een baby zou worden geboren. En toen?'

'Toen lukte het opa's advocaat in contact te komen met die vrouw, ze spraken af en hij belde ons en zei dat ze geweldig was en goed gezond, afgezien van wat problemen met haar gebit – ik geloof dat ze geen goede tandheelkundige zorg had gehad. We namen een postbus en er gingen een paar brieven over en weer, en toen wachtten we tot jij er zou zijn.'

'Wat stond er in die brieven?'

'Dat weet ik niet meer.' Daar begint het altijd mee, met 'Dat weet ik niet meer'.

Ik buig me voorover, en door dat subtiele aandringgebaar komt er een beetje informatie los. 'Gewoon, wat simpele feiten over haar achtergrond, haar gezondheid, hoe het met de zwangerschap ging. Ze was jong en ongetrouwd. De vader was volgens mij wel getrouwd. Een van de twee was joods, de ander geloof ik katholiek of zoiets. Ze gaf heel veel om je, ze wilde het beste voor jou en wist dat ze zelf niet voor je kon zorgen. Ze wilde dat je een heel bijzonder thuis zou hebben – een joods thuis. Ze wilde graag zeker weten dat je ergens naartoe ging waar ze van je zouden houden. En dat je alle mogelijke kansen zou krijgen. Ik geloof dat ze in Noord-Virginia woonde.'

'Wat is er met die brieven gebeurd?' Ik zie een dun stapeltje tactvolle brieven voor me, met een lint eromheen, ergens ver achter in een la in de toilettafel van mijn moeder.

Mijn moeder zwijgt even en staart in de verte, alsof ze in haar herinnering zoekt. 'Volgens mij kwam er zelfs nog een brief toen je al geboren was.'

'Waar zijn die brieven?'

'Ik geloof dat ze zijn vernietigd,' zegt mijn moeder.

'Is het niet bij jullie opgekomen dat ik ze later misschien zou willen hebben, dat ze misschien wel het enige zouden zijn wat ik had?'

'Ze hadden ons aangeraden heel voorzichtig te zijn. Ik heb niets bewaard. Dat hebben ze tegen ons gezegd: geen tastbare bewijzen, geen dingen die eraan herinneren.'

'Wie heeft dat gezegd?'

'De advocaat.'

Ik geloofde haar niet. Het was haar keus geweest. Mijn

moeder wilde niet dat ik een geadopteerd kind was. Ze wilde me voor zichzelf. Ze was bang voor alles wat dat in gevaar bracht.

'En toen?'

'We wachtten af. En op 18 december 1961 kregen we een telefoontje van de advocaat. "Uw pakketje is er," zei hij. "Er zitten roze linten omheen en het heeft tien vingertjes en tien teentjes." We belden dokter Ross, onze kinderarts, en hij ging naar het ziekenhuis, bekeek je en belde ons. "Alles prima in orde," zei hij.'

'En toen?'

'Drie dagen later gingen we je ophalen.'

Ik zag mijn ouders voor het eerst in een auto, in een zijstraat vlak bij het ziekenhuis. Ze zaten midden in een sneeuwstorm in een auto in het centrum van Washington te wachten tot ik bij hen zou worden afgeleverd. Ze hadden kleertjes voor me meegenomen om me te vermommen, me meteen al een beetje tot hún kind te maken. Deze geheime overdracht werd verzorgd door een vriendin, die met opzet sjofele oude kleren had aangetrokken – haar uitdossing mocht niet opvallen, niets prijsgeven; ook dit detail vernam ik pas toen ik al in de twintig was. Mijn ouders bleven vol zorgelijke gedachten in de auto zitten terwijl die buurvrouw naar het ziekenhuis ging om mij op te halen. Het was een geheime missie, er kon iets misgaan. Zíj – de moeder – kon van gedachten veranderen. Ze zaten te wachten, en toen dook ineens de buurvrouw op in de sneeuw met een pakketje in haar armen. Ze overhandigde me aan mijn moeder en mijn ouders reden met me naar huis. Missie volbracht.

Ik heb alleen de amateurvideoversie in mijn hoofd. Een grote ouderwetse auto uit 1961. Washington centrum. Sneeuw. Zenuwen. Opwinding.

Het verhaal gaat dat mijn broer Jon, apetrots, hevig opgewonden dat de nieuwe baby thuiskwam, op onze oprit ging staan met een bord dat mijn grootmoeder had gemaakt: WELKOM THUIS ZUSJE. Mijn komst is altijd beschreven als een soort magisch moment, alsof een fee met haar toverstokje zwaaide, het gezin genezen verklaarde en mij als tastbaar bewijs achterliet, als amulet om alles goed te maken, om een rouwende vader en moeder op te beuren.

Ik werd door de gang gedragen en op het grote bed in de slaapkamer van mijn ouders gelegd. Buren, ooms en tantes, iedereen kwam naar me kijken; een prijs – de mooiste baby die ze ooit hadden gezien. Mijn haar was dik en zwart en stond kaarsrecht overeind als een raket, mijn ogen waren helderblauw. 'Je had van die heerlijke roze wangetjes – je was om op te vreten. Beeldschoon.'

Wat zou alles anders zijn geweest als ik niet geadopteerd was; dan was de familie naar het ziekenhuis gekomen. Iedereen zou me samen met mijn moeder hebben gezien of bij me langs zijn gegaan op de babyzaal, had feilloos het juiste wiegje gekozen uit de kaarsrechte rij.

Maar dit verhaal begint met een telefoontje: *Uw pakketje is er. Er zitten roze linten omheen.* De kinderarts van het gezin wordt naar het ziekenhuis gestuurd om de koopwaar te inspecteren – denk aan films waarin de drugsdealer het spul keurt alvorens de stapel bankbiljetten te overhandigen. Het heeft allemaal iets onmiskenbaar armoedigs. Ik ben geadopteerd, gekocht, besteld en opgehaald als een taart bij een bakkerij.

Toen ik twintig was, biechtte mijn moeder me op dat de 'vriendin' die me ophaalde de buurvrouw was. Ik kon niet geloven dat ik al die jaren naast iemand had gewoond die mijn echte moeder had gezien, die wist hoe ze eruitzag.

Ik draaide het nummer van de buren. 'Hallo,' zei ik. 'Ik hoor dat u mijn moeder hebt ontmoet?' De buurvrouw was op haar hoede. 'Ik hoop dat je er verder niets mee doet,' zei ze, 'dat je er geen werk van maakt.' Ik was verbaasd dat ze zo reageerde. Waar was ze bang voor? Dat ik ons gezin zou ontwrichten, of dat van de vrouw, dat ik alles in de vernieling zou helpen? En ik dan, mijn leven, de volstrekte chaos van mijn bestaan tot dan toe?

'Hoe zag ze eruit?'

'Ze was mooi. Ze droeg een tweed pakje en ik kon niet geloven dat ze net een kind had gekregen. Ze zag er helemaal niet zwanger uit. Ze was slank. En ze had haar haar in een knotje.'

Ik zag Audrey Hepburn voor me.

'Leek ze op mij?'

Ik weet niet meer wat de buurvrouw zei. Ik leed aan de doofheid die je op heel gewichtige momenten overvalt.

'Ik droeg ouwe kleren,' vertelde de buurvrouw. 'Ik vermomde me. Ik wilde niet dat ze iets wist. En zij was ook heel bang dat iemand te weten zou komen wie ze was.'

De geheimzinnigheid waarmee de hele procedure was omgeven was enorm, alles was suggestie en mysterie. En onder alle intriges lag de schaamte waar niemand het ooit over had.

'"Mocht u me ooit tegenkomen, laat dan maar niets merken," zei de vrouw. Ze bedoelde dat ik moest doen alsof ik haar niet kende als ik haar ooit op een feestje of in de stad zou zien,' vervolgde de buurvrouw.

'Hebt u haar ooit teruggezien?'

'Nee, nooit.'

Mocht u me ooit tegenkomen, laat dan maar niets merken. De enige uitspraak, het enige letterlijke citaat.

De volgende ochtend komt mijn moeder met een papiertje in haar hand mijn kamer binnen; ze gaat op de rand van mijn bed zitten en vraagt weer: 'Wil je weten hoe ze heet?'

Ik geef geen antwoord. Zelfs als ik dat wil, kan ik het niet zeggen – het voelt als verraad.

'Ze heet net zo als een vriendin van je,' zegt ze, alsof ze me voorzichtig wil voorbereiden, het gif eruit wil halen, het een beetje verteerbaarder wil maken. 'Ik geloof dat ze een broer heeft, een advocaat die hier in de buurt woont – Frosh herkende de naam.'

'Leg dat briefje maar op het bureau,' zeg ik. Ze heet Ellen. Ellen Ballman. Het klinkt als een schuilnaam. Ballman. Hoe is ze? Wat doet ze? Is ze slim?

Ik sprak een keer een geadopteerde vrouw wier moeder naar haar op zoek was gegaan en haar had gevonden. Die moeder was fotografe en reisde veel. Ze was lief, warm, respectvol. 'Ik wil alleen maar dat je weet dat ik er ben als je me nodig hebt,' zei ze.

Ellen heeft een broer die hier in de buurt woont, zei mijn moeder. Ik zoek zijn adres op. Ik stap in de auto. Ik ruik aan het begrip 'biologische verwantschap'. Zijn huis ligt aan mijn vaste route. Ik ga vaak een stuk rijden om na te denken, ik rij auto zoals anderen joggen. Ik ken die route goed, weet de markante punten. Ik rij al jaren over die weg, gefixeerd op de glooiende heuvels, de lange opritten – wat vreemd dat het huis van mijn oom aan één daarvan ligt.

Witte baksteen, veel auto's, een basket boven de oprit – pijnlijk. Als kind verlangde ik hevig naar zo'n basket. Honderd keer per jaar vroeg ik erom, maar mijn ouders, die niets met sport hebben, wilden er niet aan. Zo'n basket zou de esthetische compositie van het huis bederven. Ik speelde bij de buren of bij andere mensen in de straat, totdat onvermijdelijk iemand zijn hoofd uit het raam stak om te melden dat ik naar huis moest om te eten.

Ik zet mijn auto voor het huis van mijn oom; ik ben nog nooit zo dicht bij iemand geweest die echt familie van me is. Ik blijf zitten en stel me voor hoe ze daarbinnen zitten, mijn oom en zijn zoons, mijn neven. Er hangt kerstversiering. Ik zie hun boom door het raam. Ik stel me voor dat dit een vrolijk, rijk gezin is. Dat ze op de een of andere manier beter zijn dan ik – ik rij weer weg.

Ik bel een privédetective, een vriendin van een vriendin – ook geadopteerd. Ik vertel haar het weinige dat ik weet.

'Ik heb een paar uur nodig,' zegt ze.

Ik ben een spion, een jager, ik ben iets op het spoor. Ik heb geen idee waar ik mee bezig ben, weet alleen dat ik iets wil weten, iets waarmee ik verder kan. Ik wil niet nog meer verrassingen.

De detective belt terug.

'De vrouw die jij zoekt heeft geen telefoonaansluiting in de staat New Jersey. Ze heeft ook geen hier geregistreerd rijbewijs, maar wel een huis in de buurt van Washington.'

Ze geeft me het adres. Ik stap weer in de auto. Het is dichtbij, heel dichtbij. Woonde ze echt op een steenworp afstand? Al die tijd? Kan het zijn dat ik haar weleens gezien heb zonder te weten wie ze was, in een winkelcentrum of een restaurant? Ik rij een paar keer langs het huis. Het ziet er leeg uit. Ik parkeer de auto, klop bij buren aan, stel vragen, praat met vreemden. Wat ís een vreemde? Wíe is een vreemde? Ze zou heel goed mijn moeder kunnen zijn.

'Weet u wat er van de buren is geworden? Verhuisd? Weet u ook waarheen?' Ik kom geen stap verder.

Ik ga naar de bibliotheek van mijn jeugd, van boekverslagen en natuurkundeprojecten. Ik zoek dingen op. Ik zoek altijd dingen op. Ik kijk op een kaart van het stadje in New Jersey waar ze woont, vind haar straat. Ik kijk in telefoonboeken, bel de inlichtingen. Niets. Waarom heeft ze geen telefoon? Woont ze samen? Heeft ze een andere naam? Is ze een leugenaarster? Op de vlucht voor de politie?

Ik bel Frosh, de advocaat. 'Een brief,' zeg ik, 'ik wil een brief. Ik wil dingen weten – waar ze is opgegroeid, wat voor opleiding ze heeft, wat ze voor de kost doet, wat voor ziektes er in mijn familie voorkomen en hoe dat toen allemaal is gegaan met die adoptie.'

Ik vraag naar mijn eigen levensverhaal. Mijn verzoek is dringend; ik heb het gevoel dat ik nu snel alles moet vragen wat ik wil weten. Ze kan zo weer weg zijn, even plotseling als ze is opgedoken.

Vanaf het moment dat ik ophang wacht ik op de brief.

Tien dagen later komt hij, zonder enige ophef. De postbode komt niet aanrennen onder het uitroepen van: 'Hij is er! Hij is er! Hier heb je je identiteit.' De brief komt in een envelop van het advocatenkantoor met een krabbeltje van de advocaat erbij, een excuus dat het zo lang heeft geduurd. Het is duidelijk dat de brief is geopend en vermoedelijk ook gelezen. Waarom? Is de inhoud dan niet persoonlijk? Het ergert me, maar ik zeg er niets van. Ik vind niet dat ik daar het recht toe heb. Dat is een van de ziekelijke bijverschijnselen van adopties: geadopteerde kinderen hebben eigenlijk geen rechten, hun hele leven staat in het teken van rekening houden met de geheimen, behoeften en verlangens van anderen.

De brief is op haar eigen briefpapier getypt, eenvoudige, kleine, grijze vellen met haar naam in reliëfletters bovenaan. Ze schrijft vreemd formeel, formuleert onbeholpen en maakt taalfouten. Ik lees tegelijkertijd snel en langzaam, wil alles goed tot me laten doordringen maar merk dat me dat niet lukt. Ik lees de brief éénmaal, tweemaal. Wat wil ze me duidelijk maken?

> (...) Toen ik dat kleine meisje in mijn buik had, was het niet gepast om een buitenechtelijk kind te krijgen. Het was waarschijnlijk de moeilijkste beslissing van mijn hele leven. Ik was tweeëntwintig en erg naïef. Ik ben door mijn moeder heel beschermd en heel streng opgevoed.
>
> Ik weet nog dat ik met haar in het ziekenhuis was en haar aankleedde toen we allebei naar huis mochten. Ik ben dat prachtige zwarte haar, die blauwe ogen en de kuiltjes in haar wangen nooit vergeten. Ik liep het ziekenhuis uit met de vrouw die het kleine meisje kwam ophalen, en ik zie mezelf nog in de taxi zitten en hoor haar vragen of ik haar de baby wil geven. Ik wilde haar het kind niet geven, echter, ik besefte me dat ik niet de middelen had om haar zelf groot te brengen. Ja, ik heb altijd van die kleine meid gehouden, en nadat zij was geboren is elke decembermaand van mijn leven een kwelling geweest omdat ik haar niet bij me had.

Ze schrijft dat tv-programma's als *Oprah* en *Maury* haar de moed en het zelfvertrouwen hebben gegeven om door te gaan. Ze geeft de feiten: waar ze geboren is, waar ze als kind woonde, hoe ze is opgegroeid. Ze geeft de namen van haar ouders en de jaren waarin ze zijn overleden. Ze vertelt hoe lang ze is en hoeveel ze weegt.

Ze schrijft over nooit vergeten.

Elk stukje informatie zwemt in me rond, schiet wortel, graaft zich in. Geen verzachting, geen bescherming. Ik ben weerloos.

De laatste zin van haar brief luidt: 'Ik ben nooit getrouwd, ik heb me altijd schuldig gevoeld dat ik dat kleine meisje heb afgestaan.'

Ik ben dat kleine meisje.

Ik bel de advocaat en vraag om een tweede brief met meer informatie, medische gegevens, meer details over de adoptie en wat ze sindsdien heeft gedaan – en een foto van haar.

Een dag later bel ik de advocaat weer, in paniek. 'O ja,' zeg ik, 'ik ben nog iets vergeten. Wilt u haar vragen wie de vader is?' Niet mijn vader, dé vader.

'Goed,' zegt hij. 'Ik zet het op het lijstje.'

Al na een paar dagen komt er een tweede brief. Ook deze is geopend.

Ik zal je nu denk ik wat over Norman Hecht moeten vertellen. Dat is moeilijk voor me, omdat ik de klok een heel eind terug moet draaien. Ik ging bij Norman in de Princess Shop werken, in het centrum van Washington. Ik was vijftien. Ik werkte daar op donderdagavond en op zaterdag. En 's zomers elke dag. Zoals je weet was Norman veel ouder dan ik. Hij was heel aardig voor me. De relatie begon heel onschuldig. Hij bood soms aan me naar huis te brengen en dan praatten we onderweg over van alles. Toen vroeg hij me op een keer in de winkel of ik zin had met hem uit eten te gaan. Zo begon het. Toen ik zeventien was, belde hij mijn moeder en vroeg of hij met me mocht trouwen. Mijn moeder zei dat ik te jong was. Ze hing op, draaide zich naar me om en zei: Ik wil niet dat je die man ooit nog ziet. Maar ik was toentertijd verliefd en niets wat zij zei had me kunnen tegenhouden. Ik wist altijd heel goed wat ik wilde. Koppig, kun je ook zeggen. Zo ben ik nou eenmaal. Norman is op dat moment getrouwd en belooft te scheiden en met mij te trouwen. Dat was niet mijn idee, hij kwam er zelf mee. De tijd verstrijkt, ik raak zwanger van de jongedame. Hij vindt dat ik naar Florida moet gaan. Hij zal een huis kopen voor ons tweeën. Een maand of drie later ben ik erg ongelukkig. Ik ga terug naar Washington. Norman en ik krijgen onenigheid. De laatste drie maanden van de zwangerschap ben ik bij mijn moeder in Virginia, waar ze toen woonde. Vlak voor de baby zou komen zei Norman weer dat hij met me zou trouwen. Hij vroeg of hij me mocht komen ophalen om samen dingen voor de baby te gaan kopen. Ik zei nee. Ik heb hem niet gebeld toen de baby geboren was.

Norman woont voor zover ik weet nu in Potomac, Maryland. Hij heeft vier kinderen. Al zijn kinderen zijn geboren vóór de geboorte van ons kind. Hij speelde football in de nationale competitie. Voor zover ik weet was zijn vader joods en zijn moeder Iers. Ik heb alleen zijn moeder ontmoet. Een kleine, mollige vrouw, ze was heel aardig. Ook voor mij.

Je vroeg naar mijn gezondheid. Ik heb van tijd tot tijd last van bronchitis. Daar krijg ik medicijnen voor. Vochtig weer heb ik een hekel aan. En ik slik pillen tegen hoge bloeddruk. Afgezien daarvan is alles goed. Ik ben bijziend en heb een slecht gebit. Allebei erfelijk: de ogen van mijn vader, de tanden van mijn moeder.

De laatste zin van haar tweede brief: 'Ik ben erg bang dat dit op een teleurstelling uitloopt.'

Later zal ze me vertellen dat Frosh bij het lezen van de brief de naam van de vader herkende en haar belde om te zeggen dat ze hem beter op de hoogte kon stellen als ze mij zijn naam wilde geven. Ze belde mijn vader, die schrok van haar bericht, hevig geschokt reageerde toen ze vertelde waar ze mee bezig was en zei dat kijken naar *Oprah* en *Maury* beneden haar waardigheid was.

Frosh' bemoeizucht drijft me tot waanzin. Hij belemmert en beïnvloedt de gang van zaken – aan wiens kant staat hij, wat beoogt hij hiermee, wie probeert hij te beschermen? Ik wil niet dat iemand mijn post leest. Ik neem een postbus. Ik bel Frosh en verzoek hem mijn nieuwe postadres aan Ellen door te geven. Ik geef haar met opzet geen achternaam of telefoonnummer. Eenendertig jaar lang heb ik geen invloed op de situatie gehad, en nu heb ik er behoefte aan de regie van het contact in handen te houden.

De vader: weer een naam om in het telefoonboek op te zoeken, een vel vol oningevulde gegevens. Hoezo herkende de advocaat zijn naam? Wat was er dan met hem? Wie is mijn vader?

Ik bel een vriend in Washington, iemand die er geboren en getogen is en goed op de hoogte is.

'Zegt die naam je iets?'

Een korte stilte. 'Ja. Hij kwam vroeger vaak in een van de clubs.'

'Nog meer?' vraag ik.

'Meer wil me zo gauw niet te binnen schieten. Als ik nog iets bedenk, bel ik je wel.'

'Dank je.'

'Is het iemand over wie je wilt gaan schrijven?'

De week daarna komen mijn ouders onaangekondigd bij me op bezoek in New York.

'Verrassing!'

Ze doen vreselijk aardig tegen me, warm en liefdevol – alsof ik ongeneeslijk ziek ben, nog maar een halfjaar heb.

'We willen graag met je uit eten,' zeggen ze.

Ik kan de uitnodiging niet aannemen en ik kan ze niet uitleggen waarom. Ze gaan met z'n tweeën, in het besef dat ik haar zal bellen terwijl ze weg zijn.

Ze heeft de meest beangstigende stem die ik ooit heb gehoord: laag, nasaal, gruizig, enigszins dierlijk. Ik zeg wie ik ben en zij roept uit: 'O god. Dit is de mooiste dag van mijn leven.' Haar stem, haar emotie, komt met horten en stoten, staccato – ik kan niet uitmaken of ze lacht of huilt. Op de achtergrond een klikje, lucht die snel naar binnen wordt gezogen – ze rookt.

Het telefoontje is opwindend, flirterig als een eerste afspraakje, als het begin van iets. Ik voel een plotselinge opwelling van nieuwsgierigheid, het verlangen alles tegelijk te weten. Wat voor leven leid je, hoe begint en eindigt jouw dag? Wat vind jij leuk? Waarom ben je naar me op zoek gegaan? Wat wil je?

Elke nuance, ieder detail betekent iets. Ik voel me iemand met geheugenverlies die wakker wordt gemaakt. Dingen die ik van mezelf weet, die buiten de taal om bestaan, mijn hardware, mijn elektrische hersenpatronen – alles wat ten diepste, onvervreemdbaar van mij is, vindt weerklank aan de andere kant van de lijn, er is sprake van een DNA-match. Het is een enigszins onbehaaglijke gewaarwording.

'Vertel eens wat over jezelf – wie ben je?' vraagt ze.

Ik vertel dat ik in New York woon, schrijfster ben en een hond heb. Niet meer en niet minder.

Ze zegt dat ze gek is op New York, dat haar vader altijd naar New York ging en dan terugkwam met cadeautjes van FAO Schwartz. Ze vertelt dat ze veel van haar vader hield. Hij is aan een hartaanval gestorven toen zij zeven was, want 'hij hield van goed eten'.

Ik voel onmiddellijk een pijnscheut in mijn borst: de wetenschap dat ik op jonge leeftijd aan een hartaanval zou kunnen sterven, dat ik nu voorzichtig moet zijn, dat de dingen waar ik het meest van hou gevaarlijk zijn.

'Ik kom uit een heel vreemde familie,' vervolgt ze. 'Wij zijn niet helemaal goed.'

'Hoe bedoel je, "vreemd"?' vraag ik.

Ze vertelt dat haar moeder een paar jaar daarvoor aan een beroerte is gestorven. Dat haar eigen leven helemaal op losse schroeven kwam te staan, dat ze van Washington naar Atlantic City is verhuisd. Ze vertelt dat haar moeder na mijn geboorte niet naar het ziekenhuis wou komen om haar op te halen. Ze moest met de bus naar huis. Ze vertelt dat ze al haar kracht en moed nodig had om naar mij op zoek te gaan.

En dan vraagt ze: 'Heb je al wat van je vader gehoord? Het zou leuk zijn als we eens met ons drieën konden afspreken,' zegt ze. 'We zouden naar New York kunnen komen en samen uit eten gaan.'

Ze wil alles tegelijk en dat is te veel voor mij. Ik praat met de vrouw die al mijn hele leven dreigend op de achtergrond aanwezig is en ik ben doodsbang. Er zit een diepe scheur in mijn gedachten, een voortdurend galmend refrein: ik ben niet wie ik dacht te zijn en ik heb geen idee wie ik wel ben.

Ik ben niet wie ik dacht te zijn, en evenmin is zij de oppervorstin over wie ik had gefantaseerd.

'Dat kan nu nog niet.'

'Waarom niet?'

Ik kom in de verleiding om te antwoorden: Omdat ik op dit moment voor iedereen onzichtbaar ben, zelfs voor mezelf. Ik ben in rook opgegaan.

'Wanneer kunnen we elkaar weer spreken?' vraagt ze aan het eind van het gesprek. 'Wanneer? Ik hoop dat je me kunt vergeven wat ik eenendertig jaar geleden heb gedaan. Wanneer kan ik je zien? Je hoeft maar te kikken en ik kom. Ik sta meteen voor je deur. Bel je gauw weer? Ik hou van je. Ik hou heel veel van je.'

Mijn ouders komen terug. Ik kijk naar een foto van haar, een kopie van haar rijbewijs die de advocaat me heeft toegestuurd. Ellen Ballman, sterk, fors, robuust, als een gevangenisdirectrice. Er zit nog een foto in de envelop – Ellen met een neefje en een nichtje, met knuffeldieren op de achtergrond. Ik zie iets aan de uitdrukking op dat gezicht – iets vaag vertrouwds. In de wangen, de ogen, de wenkbrauwen en het voorhoofd zie ik sporen van mezelf.

'Hoe kwam ze aan Frosh' naam?' informeert mijn moeder.

'Ze zei dat ze hem één keer had gehoord en nooit meer is vergeten.'

'Dat is interessant,' zegt mijn moeder, 'want Frosh was niet de eerste advocaat; de eerste stierf, en we kregen Frosh pas toen jij al geboren was en we wat problemen kregen.'

'Wat voor problemen?'

'Ze had de papieren niet getekend. Ze had ze moeten tekenen voordat ze uit het ziekenhuis vertrok, maar dat had ze niet gedaan. Toen regelden we het zo dat ze naar een bank kon gaan om ze daar te tekenen, maar ze kwam niet opdagen.

Ze heeft nooit iets getekend, en toen we naar de rechter gingen, mochten we je eerst niet adopteren omdat de papieren niet getekend waren. Daarna duurde het nog meer dan een jaar, en uiteindelijk gaf een tweede rechter ons toestemming om je zonder handtekening te adopteren. Een jaar lang leefde ik in angst. Ik durfde je niet alleen te laten met iemand anders dan papa of oma, want ik was bang dat zij terug zou komen en jou mee zou nemen.'

Ik stel het me voor: mijn moeder, die een halfjaar voor mijn geboorte een kind had verloren, een jongetje dat ze op de wereld had verwelkomd en weer vaarwel had moeten zeggen, en daarna mij als een soort beterschapsgeschenk ontving en bang was dat ook ik elk moment weer kon verdwijnen. Ik vertel mijn moeder niet wat een van de eerste dingen was die Ellen Ballman tegen me zei: 'Als ik had geweten waar je was, was ik je komen ophalen.' Ik vertel mijn moeder niet dat Ellen Ballman al die jaren vlakbij was – maar een paar kilometer van ons vandaan. 'Ik keek vroeger vaak naar kinderen,' zei Ellen. 'Soms volgde ik ze een eindje en vroeg me af of jij het was.'

We spreken elkaar vaak – ik bel haar een paar maal per week, maar ik geef haar mijn telefoonnummer niet. Onze gesprekken zijn verleidelijk, verslavend, slopend. Na afloop ben ik altijd kapot en heb ik een hele tijd nodig om bij te komen. Telkens wanneer ik haar iets vertel, annexeert ze het, trekt ze het helemaal naar zich toe, past het aan en geeft het me zodanig terug dat ik wou dat ik haar minder had verteld, dat ze helemaal niets wist.

Ze vertelt dat ze nooit met haar stiefvader overweg heeft gekund en dat haar moeder kil en hardvochtig was. Ik voel dat er meer te vertellen valt. Ik vermoed dat er in het gezin iets aan de hand was wat te maken had met die stiefvader en dat haar moeder dat wist en het haar kwalijk nam – dat zou ook verklaren dat er vaak wrijving tussen die twee was en dat Ellen als tiener in de armen van een veel oudere, getrouwde man werd gedreven. Ik vraag het haar nooit op de vrouw af. Het lijkt me opdringerig; haar behoefte zichzelf te beschermen is groter dan mijn behoefte alles te weten. Rond veel wat ze vertelt hangt een vreemd, angstig niet-weten, wat het moeilijk maakt om een goed beeld van haar te krijgen. Ze doet me aan Blanche DuBois van Tennessee Williams denken, die van de een naar de ander fladdert, wanhopig op zoek naar iets, naar verzachting voor een niet te verzachten leed. Door haar gebrek aan ontwikkeling kom ik er niet achter of ze een beetje dom is of gewoon ontstellend naïef.

'Heb je aan abortus gedacht?'

'Dat is nooit bij me opgekomen. Dat had ik niet kunnen opbrengen.'

Die zwangerschap was de ideale vluchtroute van het huis van haar moeder naar het leven van mijn vader, begrijp ik. Het moet een goed idee hebben geleken totdat mijn vader weigerde bij zijn vrouw weg te gaan. Hij heeft het wel geprobeerd. Hij stuurde Ellen naar Florida en zei dat hij daar ook naartoe zou komen – maar hij kwam nooit. Drie maanden later keerde ze ziek van heimwee terug naar Washington. Ze trokken in een flat; hij woonde vier dagen met Ellen samen. Daarna ging hij terug 'omdat zijn kinderen hem misten'. Ellen liet hem wegens verlating arresteren krachtens een oude verordening van de staat Maryland. Zijn vrouw was destijds ook zwanger, van een jongetje dat drie maanden vóór mij geboren werd.

'Op een keer zei hij dat ik naar het kantoor van zijn advocaat moest komen,' vertelt ze, 'om te bespreken hoe we "alles moesten regelen". Ik ging met hem en zijn advocaat om de tafel zitten, en die advocaat maakte een tekening en zei: "Van een taart kun je een bepaald aantal stukken snijden en dan houdt het op, daar moet je het mee doen." "Ik ben geen stuk taart," zei ik, en ik liep weg. Ik ben nog nooit van mijn leven zo kwaad geweest. Stukken taart. Ik zei tegen mijn vriendin Esther dat ik een kind verwachtte en niet wist wat ik moest doen. Zij zei dat ze iemand kende die een baby wilde adopteren. Ik zei dat de baby naar een joods gezin moest waar het kind goed behandeld zou worden. Ik noemde jou "de baby". Ik wist niet of je een jongen of een meisje was. Ik kon niet zelf voor je zorgen – een net meisje kreeg niet op eigen houtje een baby.'

Dan, zonder enige overgang: 'Vind je het leuk om een keer een portret van ons tweeën te laten schilderen?' Haar verzoek lijkt afkomstig uit een andere wereld, een ander leven. Wat moet zij met een portret? In Atlantic City boven de open haard hangen? Als kerstcadeau aan mijn vader sturen? Ze is ondergedompeld in gestolde tijd, in fantasieën over hoe het had kunnen gaan. Na eenendertig jaar eist ze alsnog het leven op dat ze nooit heeft gehad.

'Ik moet nu weg, ik heb een eetafspraak,' zeg ik.

'Goed,' zegt ze, 'maar trek je kasjmier trui aan voor je de deur uit gaat, het is koud.'

Ik heb geen kasjmier trui.

'Wanneer kan ik je zien?' vraagt ze dan weer.

'Ellen, dit is allemaal nieuw voor mij. Jij bent er al heel lang mee bezig, al lang voor je contact met me zocht, maar ik pas een paar weken. Ik heb tijd nodig. Ik bel je gauw weer.' Ik hang op. Die trui is Ellens fantasie, hij staat voor een ervaring die niet de mijne is, die elders – in haar verleden – iets betekent, belangrijk is.

Ik raak mezelf kwijt. Op straat zie ik mensen die op elkaar lijken – gezinnen waarin elk gezicht een genuanceerde weerspiegeling van een ander is. Ik kijk hoe ze staan, lopen en praten, variaties op een thema.

Een paar dagen later bel ik Ellen weer.

'Vachtje heeft in de gang geslapen,' zegt ze. Vachtje is het knuffeldier dat ik haar bij wijze van vriendelijk gebaar heb gestuurd. Vanavond ben ik Vachtje.

De klik van een aansteker, het naar binnen zuigen van rook.

'Ik ben boos op je, merk je het?'

'Ja.'

'Waarom wil je me niet ontmoeten?' dreint ze. 'Je kwelt me. Je zorgt beter voor je hond dan voor mij.'

Moet ik voor haar zorgen? Heeft ze daarom contact gezocht?

'Je moet mij adopteren en voor me zorgen,' zegt ze.

'Ik kan jou toch niet adopteren,' zeg ik.

'Waarom niet?'

Ik weet niet wat ik moet zeggen. Ik weet niet of we het over een fantasie of de werkelijkheid hebben. Hoezo, 'het belang van het kind staat voorop'? Wie is hier de ouder en wie het kind? Ik kan moeilijk zeggen dat ik geen kind van vijftig wil.

'Ik ben bang voor je,' weet ik uit te brengen.

'Waarom kun je het me niet vergeven? Waarom ben je altijd boos op me?'

'Ik ben niet boos op je,' zeg ik, en dat is volkomen waar. Wat ik ook ben, ik ben niet boos op haar.

'Blijf niet eeuwig boos op me. Als ik had geweten waar je

was, was ik je komen halen.' Stel je voor: ontvoerd door je eigen moeder, dezelfde die je bij je geboorte heeft afgestaan. Ze woonde maar een paar kilometer van de plek waar ik ben opgegroeid en wist gelukkig niet wie of waar ik was. Ik kan me niets angstaanjagenders voorstellen.

'Ik ben niet boos op je.' Ik ben geschokt omdat ik iets van mezelf in haar herken – die lichte gekte komt me niet onbekend voor – en doodsbang om me af te sluiten voor de enige op de hele wereld voor wie ik me juist had willen openstellen. Maar boos ben ik niet. Ik kan het haar vergeven. Hoe meer Ellen en ik praten, hoe blijer ik ben dat ze me heeft afgestaan. Ik moet er niet aan denken dat ik bij haar zou zijn opgegroeid. Dat had ik niet overleefd.

'Heb je al wat van je vader gehoord? Het verbaast me dat hij nog niks heeft laten horen.'

Het komt bij me op dat 'mijn vader' misschien wel net zo op haar reageert als ik, dat hij mij op één lijn met haar stelt en onder andere daarom op een afstand blijft. Het komt ook bij me op dat hij misschien wel denkt dat zij en ik onder één hoedje spelen, dat we samenzweren om iets van hem los te krijgen.

Ik schrijf hem op eigen initiatief een brief waarin ik vertel dat ik volkomen door Ellens plotselinge verschijning verrast werd en laat doorschemeren dat hij noch ik hierop zat te wachten, maar dat we misschien kunnen proberen alles een beetje elegant af te handelen. Ik vertel hem iets over mezelf. Ik bied hem een manier om contact met me op te nemen.

Ik ga naar de sportschool. Aan het plafond hangt een rij tv's met CNN, MTV en Cartoon Network. Ik kijk naar een tekenfilm waarin een mandje met een jong vogeltje voor een houten deur wordt gezet die in de stam van een boom is gekerfd. Op het scherm verschijnen de woorden 'Klop klop'. Een grote haan doet de deur open en pakt het mandje op. Op de doek die eroverheen is gedrapeerd is een briefje gespeld:

Lieve mevrouw,
Zorg alstublieft voor mijn kleintje.
was getekend,
Moeder Vogel

De haan kijkt in het mandje; een klein maar tierig vogeltje steekt zijn kopje omhoog. De haan raakt geïnteresseerd. Beelden van het vogeltje in een braadpan dansen door zijn hoofd. Er komt een kip met een muts binnen, die de haan wegjaagt. De haan is teleurgesteld. Ik sta op de loopband, met tranen in mijn ogen.

Een paar maanden later. Het is een koude avond, de winter is voorbij maar de lente is nog niet echt begonnen, en ik ben in Washington. Ik rijd al een uur rondjes om het huis van mijn vader en vraag me af waarom hij mijn brief niet heeft beantwoord.

Ik ben een detective, een spion, een onecht kind. Het huis is groot; er horen een zwembad en een tennisbaan bij en er staan een heleboel auto's op de oprit. Ik zit buiten, beschermd door het nachtelijk duister, zie hem voor me met zijn gezin, zijn vrouw, zijn andere kinderen.

Ik ben de buitenstaander die naar binnen kijkt; de lichten in huis leggen hun leven bloot. De verlichte ramen lijken lichtbakken met röntgenfoto's.

Van buitenaf lijkt het alsof hij het goed voor elkaar heeft, méér dan goed. De muren van een van de kamers boven zijn diepgroen geverfd, met witte randjes. Ik stel me voor dat het een bibliotheek is.

Een meisje trekt het gordijn opzij en kijkt naar buiten – mijn zusje?

Er staat een bord in de voortuin dat het huis te koop is. Ik stel me voor dat ik de makelaar bel en me laat rondleiden, als een echt spook van kamer naar kamer loop, ongezien, ongekend, informatie verzamel, in kasten kijk, me een valse vertrouwdheid eigen maak door hun spullen in me op te nemen, er getuige van te zijn hoe ze leven, hoe ze hun wc-papier afrollen, welke boeken er naast het bed liggen.

Ik blijf zitten tot ik genoeg gekeken heb en rij dan stilletjes terug naar het huis van mijn ouders.

Thuis in New York staat er een bericht op mijn antwoordapparaat – haar stem is schor en hees, haar accent valt op. 'Je spelletje is uit. Ik weet wie je bent en waar je woont. Ik lees je boeken.'

Ik bel haar onmiddellijk. 'Ellen, waar ben je mee bezig?'

'Ik heb ontdekt wie je bent: A.M. Homes. Ik lees je boeken.'

Het is de enige keer in mijn leven dat het me spijt dat ik schrijver ben. Ze heeft iets van me en denkt nu dat ze mij heeft.

'Hoe ben je aan mijn nummer gekomen?'

'Ik ben heel handig. Ik heb alle boekwinkels in Washington gebeld en gevraagd: "Welke schrijfster uit Washington heet van haar voornaam Amy?" Eerst dacht ik dat je iemand anders was, een andere Amy, die een boek over God heeft geschreven, maar toen heeft een van de winkels me geholpen en me je nummer gegeven.'

Ze stalkt me. Ik neem de telefoon niet meer aan. Telkens wanneer de telefoon gaat, telkens wanneer ik bel om mijn berichten op te halen, zet ik me schrap.

'Woon je met iemand samen daar in Charles Street? Is hij thuis? Heeft hij liever niet dat ik bel?'

'Hoe weet je dat ik in Charles Street woon?'

'Ik ben een goeie detective.'

'Ellen, ik vind dit heel schokkend. Hoe weet je waar ik woon?'

'Dat hoef ik je niet te vertellen,' zegt ze.

'Dan hoef ik dit gesprek niet voort te zetten,' zeg ik.

'Waarom wil je me niet zien? Moet ik je daar komen zoeken? Moet ik naar Columbia University komen om je op te sporen? Moet ik in de rij gaan staan voor je handtekening?'

'Ik moet mijn werk kunnen doen. Ik moet college geven, op promotietournee gaan en alles doen wat ik verder moet doen zonder dat ik bang hoef te zijn dat jij ineens voor mijn neus staat. Dit kun je me niet aandoen. Ik heb mijn eigen leven.'

'Ik moet je zien.'

Er zijn geen grenzen. Alles draait om haar verlangen, nietaflatend en allesomvattend – ze wil steeds maar meer. Ik mag geen regels stellen. Ik mag geen nee zeggen.

Als kind had ik soms onbedaarlijke huilbuien. Dan brulde ik het uit, een oerschreeuw als van een gekooid dier, zo diep uit mijn binnenste en zo intens dat mijn moeder er doodsbang van werd.

'Hou op, hou nou toch op. Hoor je wat ik zeg? Hou alsjeblieft op.'

Als ik tot spreken in staat was, was het enige wat ik zei: 'Ik wil naar mamma. Ik wil naar mamma.' Telkens opnieuw, een bezwering. Ik herhaalde de woorden eindeloos, troostte mezelf door me ertegenaan te schurken. 'Ik wil naar mamma, ik wil naar mamma.'

'Ik ben bij je,' zei ze dan. 'Ik ben je moeder. Met deze moeder zul je het moeten doen.'

Sinds Ellen terug was, huilde ik nooit meer op die manier. Ik had verlangd naar iets wat nooit had bestaan.

Het gebrek aan zuiverheid werd me duidelijk: ik ben niet het kind van mijn adoptiemoeder en evenmin dat van Ellen. Ik ben een mengelmoes. Ik zal altijd iets gelijmds houden, iets lichtelijk kapots. Het is niet iets wat misschien overgaat maar iets wat ik moet accepteren, waar ik mee moet leren leven – dat ik met mildheid moet bezien.

Ik wil naar mamma.

'Had je liever gehad dat ze niet was teruggekomen?' vraagt mijn moeder. 'Dat we niks hadden gezegd?'

'Jullie hadden het niet mogen verzwijgen.'

Had ik liever gehad dat ze niet was teruggekomen? Soms wel, ja. Maar toen het eenmaal was gebeurd, had ik de informatiestroom niet meer willen stoppen. Zodra ik iets weet, is de inspanning die nodig is om het te ontkennen, te neutraliseren, gigantisch en potentieel gevaarlijker dan het maar gewoon accepteren en kijken wat ervan komt.

Mei 1993: blind. Op de dag dat mijn roman verschijnt, stoot ik per ongeluk met de *New York Times* in mijn oog, waardoor mijn hoornvlies scheurt. Een vlammende pijn. Ik zoek op de tast het nummer van mijn oogarts en vertrek inderhaast naar zijn praktijk. Een paar uur later kom ik terug met iets op mijn gezicht dat eruitziet als een maandverband. Er is een bericht van mijn uitgever dat er die ochtend een recensie van mijn boek in de *Washington Post* heeft gestaan, een bericht van mijn moeder dat ze heeft geregeld dat er morgen in Washington, waar ik uit mijn boek zal voorlezen, brownies en rauwkost worden geserveerd, en een bericht van 'de vader'.

'Met Norman,' zegt hij. Zijn stem klinkt onvast, weifelend, verstikt. 'Ik heb je brief gekregen. Bel me maar een keer als je tijd hebt.'

Het is meer dan een maand geleden dat ik hem heb geschreven. Als die recensie in de *Post* niet was verschenen, zou hij dan ook hebben gebeld? Als ik geen schrijfster was geweest maar bij McDonald's in de keuken stond, zou ik dan ooit nog iets van hem hebben gehoord?

'Nou, wie had dat gedacht?' zegt hij als ik terugbel. Hij is een dure meneer met veel poeha, maar ik merk ook iets anders aan hem, iets halfhartigs dat ik ogenblikkelijk herken.

'Heb je de Drakenvrouw gesproken?' vraagt hij, en ik neem aan dat hij het over Ellen heeft.

'Ze is een beetje gek.'

Hij lacht. 'Dat is ze altijd geweest. Daarom heb ik destijds ook die keuze moeten maken.'

Norman, de voormalige football-held en oorlogsveteraan, voelt zich om de een of andere reden geroepen mij op te beuren. Vijftig jaar na dato vertelt hij me wat zijn trainer hem destijds leerde over altijd doorgaan en nooit opgeven. Niemand heeft ooit zo tegen me gepraat; het bevalt me ergens wel, het is troostend, inspirerend. Hij is volstrekt anders dan de vader met wie ik ben opgegroeid, een intellectueel type. Als ik Norman vertel dat ik mijn hele jeugd elke zaterdag naar een museum ben geweest, zou hij niet weten wat hij moest zeggen.

'Ik ben vanaf morgen een paar dagen in Washington voor mijn promotietournee,' zeg ik.

'Kom dan naar het kantoor van mijn advocaat, dan kunnen we praten.'

Ik denk aan Ellen: *ik ben geen stuk taart.*

De volgende dag lees ik voor in Washington; de boekwinkel staat stampvol buren, familie, mijn lerares uit de vierde, oude vrienden van de middelbare school, van mijn eerste schrijversworkshops. Ik heb geen gelegenheid gehad iemand van tevoren in te lichten over mijn gewonde oog. Als ik opsta om met voorlezen te beginnen, schrikt iedereen hevig.

'Niks aan de hand,' zeg ik. 'Over een paar weken is het weer over.' Ik sla het boek open. Mijn gezichtsveld is een cirkel met een diameter van ongeveer vijf centimeter. Ik hou de bladzijden vlak voor mijn gezicht. Mijn goede oog zit halfdicht uit solidariteit met het gewonde. Ik val zoveel mogelijk terug op mijn geheugen.

Als ik klaar ben, vormt zich een lange rij, mensen die boeken willen laten signeren, schrijvers in de dop met vragen. In de vage verte zie ik een mij onbekende vrouw zenuwachtig met een paraplu staan hannesen. Intuïtief weet ik dat het Ellen is. Ik ga verder met signeren. De rij begint uit te dunnen. Als de laatste belangstellende wegloopt, stapt ze naar voren.

'Wat heb je met je oog uitgehaald?' flapt ze er met die gruizige stem uit.

'Je houdt je niet aan de afspraak,' zeg ik. De winkel staat vol met mensen die niet weten welk spook hier is opgedoken.

'Je hebt precies de lichaamsbouw van je vader,' zegt ze.

Als ik me later probeer te herinneren hoe ze eruitzag, zie

45

ik alleen vaag iets groens met witte stippen, bruin haar dat ze hoog heeft opgestoken. En ik herinner me dat ik haar arm zag en dacht: wat is ze tenger gebouwd.

In de verte doemt een tweede schaduw op. Mijn moeder en een vriendin van haar komen naar me toe. Ik stel me voor dat de twee moeders elkaar treffen, op elkaar botsen. Dat mag niet gebeuren. Het is tegen alle regels. Niemand mag zich met twee moeders tegelijk in één ruimte bevinden.

'Ik moet de privacy van een paar mensen hier beschermen,' zeg ik tegen Ellen. Ze draait zich om en holt de winkel uit.

'We kregen haar in de gaten toen jij aan het voorlezen was,' zegt de vriendin van mijn moeder.

'Ik wist onmiddellijk wie ze was,' zegt mijn moeder. 'Alles goed met je?' vraagt ze – ze lijkt ontdaan.

'En met jóu?'

Na het voorlezen heb ik een afspraak met een journalist. We gaan in de kelder van de boekwinkel zitten met de cassetterecorder van de journalist op tafel tussen ons in.

'Is uw boek autobiografisch?'

'Het is het meest autobiografische wat ik heb geschreven, maar het is niet autobiografisch.'

'Maar u bent wel echt geadopteerd?'

'Ja.'

'Ik hoorde onlangs een gerucht dat u naar uw ouders bent geweest.'

'Ik ben naar niemand op zoek geweest.'

Er valt een stilte. 'Weet u wie uw ouders zijn?' Het lijkt een vreemde vraag, iets wat je iemand vraagt die met zijn hoofd tegen een muur is gelopen en net weer bij bewustzijn is.

De volgende ochtend ga ik met een taxi naar het centrum. Ik ga de vader ontmoeten. Ik neem een taxi omdat ik blind ben, omdat mijn moeder aan het werk is, omdat ik mijn vader niet kan vragen me naar een afspraak met mijn vader te brengen. Ik sta buiten de tijd, buiten mezelf. Het lijkt wel heel vroeger, toen vrouwen nog niet autoreden. Het lijkt een remake, een nieuwe enscenering van een rol die oorspronkelijk door Ellen is gespeeld – 'Het bezoek aan het advocatenkantoor' – de scène waarin de zwangere vrouw naar het kantoor van de advocaat gaat om te kijken wat de dure meneer 'voor haar zou kunnen doen'.

In het advocatenkantoor meld ik me bij de receptie. Er gaat een deur open en er komt een man binnen. Is dat de advocaat, mijn vader, of gewoon iemand die daar werkt? Iedereen zou het kunnen zijn, hij kan iedereen zijn – zo gaat dat als je niet weet wie je bent.

Ik moet denken aan het kinderboek *Ben jij mijn moeder?*, waarin een jong vogeltje een hele rits andere dieren en voorwerpen vraagt: 'Ben jij mijn moeder?'

'Ben jij Norman?'

'Ja,' zegt hij, verbaasd dat ik dat niet weet. Hij geeft me zenuwachtig een hand en gaat me voor naar een grote vergaderruimte. We gaan tegenover elkaar aan een brede tafel zitten.

'Jeminee,' zegt hij terwijl hij naar me kijkt. 'Jeminee.'

'Ik heb een scheur in mijn hoornvlies gemaakt,' zeg ik, wijzend naar de lap over mijn oog.

'Tijdens het lezen van een recensie van je boek?'

'Nee, bij het bekijken van de rouwadvertenties,' zeg ik naar waarheid.

'Oké. Wil je een Pepsi?' Er staat een beslagen fles Pepsi voor hem op tafel.

Ik schud mijn hoofd.

De vader is een forse man met een blozend gezicht, een duur pak, een stijve boord en een das. Zijn haar is wit, dun, achterovergekamd.

We staren elkaar over de tafel heen aan. 'Oké,' zegt hij steeds maar. Hij lacht. Hij heeft kuiltjes in zijn wangen.

Omdat ik zonder biologische spiegelbeelden ben opgegroeid, heb ik geen idee of hij op me lijkt of niet. Ik heb mijn camera, een polaroid, meegenomen.

'Mag ik een foto van je maken?' vraag ik.

Ik maak er twee en hij zit er stokstijf, blozend en gegeneerd bij.

'Mag ik er ook een van jou?' vraagt hij, en ik stem erin toe dat hij een foto maakt.

Het lijkt alsof we daar in dat advocatenkantoor een bedenkelijke reclame voor polaroidcamera's maken – een hereniging vermomd als fotosessie. We lopen om de tafel en gaan naast elkaar staan kijken hoe onze beeltenis verschijnt. Op een foto kun iemand makkelijker goed bekijken dan in het echt – je hebt niet de gêne dat je blikken elkaar kruisen, niet de angst dat je wordt betrapt terwijl je de ander aangaapt. Als ik de foto's later aan vrienden laat zien, ziet iedereen onmiddellijk dat hij mijn vader is: 'Kijk dat gezicht, die handen, die oren – precies de jouwe.'

O?

Norman geeft me een exemplaar van mijn boek om te signeren. Ik zet mijn krabbel erin en vraag me ineens af wat voor ontmoeting dit eigenlijk is. Ik voel me net een buitenlandse diplomaat die officiële geschenken uitwisselt.

'Vertel eens iets over jezelf,' zeg ik.

'Ik ben niet besneden.'

Goed, dat was misschien niet het eerste wat hij zei, maar wel het tweede. 'Mijn grootmoeder was streng katholiek, ze heeft me laten dopen. Ik ben niet besneden.'

Vreemd om juist dat over je vader te weten. We kennen elkaar net en hij begint over zijn pik. Wat hij eigenlijk wil zeggen, neem ik aan, is dat hij afstand heeft genomen van zijn joodse helft en dat hij gepreoccupeerd is met zijn penis. Hij begint aan een verhaal over zijn overgrootmoeder, een negentiende-eeuwse Oost-Pruisische prinses, en andere familieleden die plantages aan de oostkust van Maryland hadden – slavenhouders. Hij vertelt dat ik in aanmerking kom voor het lidmaatschap van de Dochters van de Amerikaanse Revolutie. Een voorouder, een Britse admiraal, is op de Arc of de Dove naar Amerika gekomen, en er is ook een connectie met Helmuth von Moltke, die volgens Norman in 1870, toen hij zijn Pruisische soldaten tegen Frankrijk liet optrekken, gezegd heeft: 'We laten ze alleen hun ogen om mee te huilen.' Dan begint hij over onze banden met de nazi's en de Waffen-ss, alsof dat iets is om trots op te zijn.

'En de Drakenvrouw is ook niet joods. Dat verbeeldt ze zich wel graag, maar ze heeft op een katholieke school gezeten.' Ze zijn allebei half katholiek, half joods. Hij vereenzelvigt zich met het een en zij met het ander.

Hij vertelt hoe mooi Ellen was toen ze in zijn winkel kwam werken. Als ik hun leeftijdsverschil ter sprake breng – zij was tussen de vijftien en de twintig, hij tweeëndertig – schiet hij in de verdediging: 'Ze was een sletje dat te veel wist voor haar leeftijd – dingen die een jong meisje niet hoort te weten.' Hij geeft haar de schuld van zijn gebrek aan zelfbeheersing. Ik vraag of het ooit bij hem is opgekomen dat er misschien bij haar moeder thuis iets speelde, iets met de stiefvader. Hij haalt zijn schouders op, maar als ik aandring geeft hij toe dat ze hem inderdaad iets heeft willen vertellen, maar dat hij niet echt snapte waar ze het over had. Ja, misschien was er bij haar thuis inderdaad iets aan de hand en waarschijnlijk had hij daar werk van moeten maken.

Ik stel vragen over hun relatie: Hoe vaak zagen ze elkaar? Heeft hij echt serieus overwogen bij zijn vrouw weg te gaan?

Hij zweet, zijn mooie pak benauwt hem.

Zijn vrouw wist van de verhouding. Dat heeft Ellen me verteld. Ze heeft me ook verteld dat Norman soms zijn oudste kind meebracht als ze uitgingen. De jongere kinderen heeft ze ook ontmoet, maar die kende ze niet zo goed.

Dacht Norman dat een man in zijn positie van alle walletjes tegelijk kon eten? Ik stel me de welvaart van de vroege jaren zestig voor, longdrinkglazen en blauwgroene feestjurken, Cadillac-cabriolets, hoog opgestoken haar, Ellen als een soort knettergekke Audrey Hepburn-imitatie, Norman de brallerige football-held en veteraan, de man met de twinkelende ogen, een vrouw thuis en een jong vriendinnetje voor erbij, denkend dat hij het maar goed voor elkaar heeft.

'En wat deden jullie voor leuke dingen samen?' vraag ik, en hij kijkt me zwijgend aan. Het antwoord is duidelijk. Seks. De relatie draaide om seks, althans voor hem. Ik ben het resultaat van een seksleven, niet van een relatie.

'Er was iets met haar aan de hand,' zegt hij. 'Ze was nymfomaan. Ze ging met andere mannen om, heel veel.'

Op dit punt geloof ik Ellen. Hoe nymfomaan kon een schoolmeisje van vijftien destijds zijn? Ze was sluw, geraffineerd, waarschijnlijk opgeleid door een expert – haar moeder. (Ik stel me Ellens moeder voor als Shelley Winters in haar rol van Charlotte Haze in de verfilming van *Lolita*.) Maar wat Ellen bij Norman zocht was troost.

Het is duidelijk dat Norman nog steeds gek op Ellen is. Hij hoort me langdurig over haar uit. Ik voel me een kind van gescheiden ouders – alleen heb ik geen idee wie deze mensen zijn. Ik heb geen idee waar ze het over hebben. Ze zijn vooral geïnteresseerd in praten over elkaar.

Hij vertelt dat hij en zijn vrouw mij wilden adopteren maar dat Ellen dat niet wilde hebben. 'Ik wilde voor je zorgen,' zegt hij. 'Toen het gebeurd was, toen jij geboren was, hoorde ik dat je een jongetje was.' Hij kijkt me aan alsof hij verwacht dat ik iets zeg.

'Dat ben ik niet,' zeg ik.

'Nou ja, het is maar goed dat we je niet geadopteerd hebben. Mijn vrouw had haar frustratie misschien op jou afgereageerd, je slecht behandeld.'

'Ja, dat is maar goed.'

'Ze vertelde dat ze zwanger was op de dag dat mijn moeder overleed.'

Later vraag ik Ellen naar dit alles, en ze is razend. 'Hij was helemaal niet van plan je te adopteren. Hij heeft er nooit één woord over gezegd. Ik heb alles zelf geregeld en nooit tegen hem gezegd wat ik van plan was.'

'Vertelde je hem dat je zwanger was op de dag dat zijn moeder overleed?'

'Ja,' zegt ze, en ik hoor de uitdagende klik van een aansteker, een trek aan een sigaret.

Ik snijd een ander onderwerp aan. 'Ellen heeft me van haar vader verteld,' zeg ik tegen Norman. 'Ze was erg close met hem en hij is aan een hartaanval gestorven.'

'Hij is helemaal niet aan een hartaanval gestorven,' zegt

Norman verontwaardigd. 'Hij was de bookmaker van het Witte Huis en kwam om bij een schietpartij met een andere bookmaker.' Dat zou kunnen kloppen. Het verklaart een deel van het verhaal dat Ellen niet goed kon uitleggen, iets met mannen die haar vader het huis in droegen, waar hij boven stierf, en dat het gezin een poosje in een duur hotel moest logeren.

Ik herinner me een schoolreisje van lang geleden, naar Ford's Theatre: de afbeelding van Abraham Lincoln die werd neergeschoten en naar het logement van Petersen aan de overkant van de straat werd gedragen, waar hij stierf.

Ik ben opgelucht dat Ellens vader geen hartaanval heeft gehad. Ik heb een paar criminele voorvaderen, maar ze hadden in ieder geval een sterk hart.

'Vertel eens wat over jouw familie,' zegt Norman. Hij spreekt dat 'jouw familie' uit alsof ik door wolven ben opgevoed. Mijn 'familie' is duidelijk iets heel anders dan de zijne.

'Mijn familie,' zeg ik, 'dat zijn allemaal schatten. Ik zou het me niet beter kunnen wensen.' Ik hoef aan hem geen verantwoording af te leggen. Mijn familie bestaat uit joden, marxisten, socialisten, homo's. Hij staat heel ver van mij en mijn leven af.

We zakken in. Ik ben uitgeput.

'Ik wil je graag bij mij thuis uitnodigen, je aan je broers en je zus voorstellen. Je hebt drie broers en één zus. Maar voordat ik dat kan doen, wil mijn vrouw absolute zekerheid hebben. Ze wil een test laten doen om te bewijzen dat jij mijn kind bent. Zou je ermee instemmen een bloedtest te laten doen? Je hoeft hem niet zelf te betalen.'

Dat 'Je hoeft hem niet zelf te betalen' geeft me een dreun. Is dat nou mijn grote beloning, de genoegdoening voor alle onrecht uit het verleden – een DNA-test? En wat zit er achter de derde deur? Hoe beledigend het ook is, in zekere zin kan ik het hem niet kwalijk nemen. Misschien is het wel een goed idee de zaak in handen van de wetenschap te geven – dan wordt alles wat nu nog zo onwerkelijk voelt misschien eindelijk reëel.

'Ik zal erover nadenken,' zeg ik.

'Oké dan.'

Medio juli 1993 stem ik met de DNA-test in. Norman en ik spreken af elkaar in een laboratorium te ontmoeten. Ik neem de trein naar Washington.

Het is niet zozeer een laboratorium als wel een inzamelingspunt, een bureaucratisch zwart gat, het onbestemdste aller kantoorgebouwen. De tl-verlichting heeft het effect van een röntgenfoto waarop je alles in reliëf ziet.

Norman zit al te wachten – de enige aanwezige blanke man. Het is voor het eerst dat ik hem zie sinds het advocatenkantoor. We zitten naast elkaar, de metalen stoelen zitten aan elkaar vast – geforceerde intimiteit.

We wachten.

Norman wordt opgeroepen. Hij wil een gewone cheque uitschrijven, maar die wordt niet geaccepteerd. Er hangen overal bordjes waar op staat hoe er betaald moet worden: met een door de bank gefiatteerde cheque aan toonder. Hij biedt aan contant te betalen, maar ook dat wordt niet geaccepteerd. Hij gaat naar de bank op de begane grond, maar kan daar om de een of andere reden geen cheque aan toonder krijgen. Hij komt geagiteerd en vernederd terug. Hij staat erop dat de laborant belt en probeert een uitzondering voor hem te maken, maar het haalt allemaal niets uit. De cheque en het bloed dienen tegelijkertijd te worden ingeleverd. Aangezien deze test vaak in het kader van rechtszaken wordt gedaan, stelt het lab vooruitbetaling verplicht om problemen met de incasso te vermijden. We hebben het over moorden, verkrachtingen, bewijzen. Ben jij mijn vader, ja of nee?

De volgende ochtend doen we een tweede poging.

'Lang niet gezien,' zeg ik.

'Wat moeten we doen als de dienstdoende verpleegster de Drakenvrouw is?' grapt Norman zenuwachtig. 'Dan komt ze op ons af met een vierkante, stompe naald.' Ik lach, maar het is niet grappig. We zijn stilzwijgend overeengekomen Ellen hier niets van te vertellen. Wat we doen is beledigend voor haar.

De laborant roept een klein kind binnen dat vóór ons is. Het jongetje krijst terwijl het naar binnen wordt gebracht.

'Zo ga jij toch niet doen, hè?' vraagt Norman.

Erger, denk ik, veel, veel erger.

Als Norman naar de balie loopt, merk ik dat zijn achterste me bekend voorkomt; ik kijk naar hem en denk: mijn achterste. Daar gaat mijn achterste. Zijn blauwe sportjasje valt er half overheen, maar ik zie dat zijn achterste uit losse delen bestaat, stukken reet, boven en onder, net als bij mij. Ik kijk naar zijn dijen – mollig, dik, niet mooi om te zien. Dit is de eerste keer dat ik iemand anders in mijn lichaam zie.

Ik gaap hem aan als hij zich omdraait en weer naar me toe komt. Ik kijk naar zijn schoenen, witte mocassins, sportclub-schoenen, uitgelopen, versleten. Zijn voeten in de schoenen zijn breed en kort. Ik kijk omhoog; zijn handen zijn precies de mijne, hoekig als klauwen. Hij is mijn exacte evenbeeld, mijn mannelijke tegenhanger.

'Oké dan,' zegt Norman als hij me ziet kijken.

Ik ga als eerste. Ik rol mijn mouw op. De laborant trekt

zijn handschoenen aan, legt zijn buisjes klaar en bevestigt de rubberen manchet om mijn arm. Ik maak een vuist. Norman kijkt toe.

De naald dringt binnen, een scherpe, metalige prik.

Ik kijk Norman aan. Het voelt vreemd. Ik geef bloed voor deze man, ik laat een gaatje in mijn huid prikken om te bewijzen dat ik zijn vlees en bloed ben. Dit is intiemer dan seks.

'Klaar,' zegt de laborant, en ik ontspan mijn hand.

Het bloed is afgenomen, een heleboel buisjes, en er komt een watje op het wondje met een pleister eroverheen.

Ik heb hierin toegestemd omdat ik begrijp dat er een tastbaar bewijs nodig is, een nauwkeurige meting van onze band, en ook omdat ik voor mezelf fantaseer dat ik er voordeel bij kan hebben, dat Norman woord zal houden en me aan zijn gezin zal voorstellen, dat ik plotseling drie broers en een zus zal hebben – een nieuw en verbeterd reservegezin.

'Wilt u even tekenen?' De laborant geeft me de buisjes, een voor een.

'Hè?'

'U moet uw handtekening op de buisjes zetten.'

Ze zijn warm in mijn hand, gevuld met de chemische optelsom van wie en wat ik ben. Ik zet snel mijn handtekening, hoop dat ik niet flauw ga vallen. Ik hou mezelf in mijn handen.

Dan is Norman aan de beurt. Hij trekt zijn jasje uit en zijn korte hemdsmouwen komen aan het licht, de mouwen van een zielige ouwe man. Zijn armen zijn kort, bleek, haast donzig. Hij heeft iets zo wits, zachts, weerloos dat het bijna obsceen is. Hij legt zijn arm neer. De laborant bindt hem af, maakt een huidplekje schoon en ik wend mijn blik af, niet in staat naar deze vreemde genetische striptease te kijken.

Ik word hier misselijk van. Ik wacht op de gang. Ik kijk niet hoe hij zijn bloed in zijn handen houdt, zijn handtekening op zijn buisjes zet. Hij komt de gang op, trekt zijn jasje weer aan en we lopen weg.

'Ik zou je graag een goeie lunch hebben aangeboden als je erop gekleed was,' zegt hij als we in de hal zijn.

Ik zie er heel presentabel uit met mijn linnen broek en mijn blouse. Een DNA-test is niet iets waar je in avondkleding heen gaat. Ik voel de neiging te antwoorden: Maakt niet uit, ik zou graag hebben gewild dat je mijn vader was als je niet zo'n lul was. Maar ik ben zo verbijsterd dat ik stompzinnig excuses begin te stamelen. Ik ben niet gekleed zoals hij het had gewild; ik draag geen jurk. Ik voldoe niet aan zijn fantasie over zijn dochter.

We gaan naar een restaurant van dertien in een dozijn een straat verderop. Ze lijken hem daar te kennen. Hij stelt me aan de ober voor alsof dat iets bijzonders is. We gaan zitten. De tafelkleedjes zijn groen, de servetten van polyester.

'Je draagt geen sieraden,' zegt Norman.

Ik ben alleenstaand, ik woon in New York, ik draag geen jurk. Ik weet precies wat hij denkt.

Ik zeg niets. Later zal ik wensen dat ik wel iets had gezegd, dat ik hem de waarheid had gezegd. Ik heb geen sieraden, maar als je me een paar diamanten cadeau wilt doen, ga je gang, hoor, ik zal ze met plezier dragen. Ik kom uit een gezin waar ze dat soort dingen niet doen. Als kind boycotte ik druiven en ijsbergsla omdat ze niet waren geoogst door mensen die lid waren van een vakbond.

Welke vader laat zijn dochter nou naar een andere stad komen om te bewijzen dat ze zijn kind is om vervolgens op haar te vitten omdat ze niet de goeie kleren aan heeft gedaan naar de bloedtest, omdat ze sieraden die ze niet heeft niet draagt naar een lunch waarvan ze niks wist?

'Hoe zou je het vinden als de uitslag komt en het blijkt dat ik niet je vader ben?'

Je bent mijn vader, denk ik. Eerst wist ik het nog niet zeker, maar nu, nu ik je gezien heb, je achterste, míjn achterste gezien heb, nu weet ik het zeker.

De hitte is verpletterend. Ik trek draden als half gesmolten karamel. Ik loop alsof ik een klap heb gehad, een harde dreun. Ik ben een vreemde voor mezelf geworden.

Geadopteerd worden is gekneed worden, geamputeerd en weer aan elkaar genaaid. Ongeacht of je daarna weer alles kunt, er blijft altijd littekenweefsel zitten.

Als ik weer thuis ben, wil mijn moeder me opbeuren. We gaan samen picknicken. We gaan naar Candy Cane City – het pretpark van mijn jeugd – en nemen plaats aan een tafeltje onder de bomen met uitzicht op de draaimolen, de schommels en de aluminium glijbaan. Ze staan nu eenzaam te stoven in de hittegolf. Ik leg mijn hand op de glijbaan; het metaal is gloeiend heet – een lekker gevoel.

Mijn moeder pakt een sandwich met worst uit. Dat bewijst hoe hard ze haar best doet. Bij ons thuis is er geen worst, geen witbrood. Dit is mijn lievelingssandwich uit mijn kindertijd, die ik alleen bij uitstapjes en speciale gelegenheden kreeg. Ze haalt een zak chips en een koude cola uit haar tas, een reprise van mijn allervroegste idee van perfectie. We kijken naar de tennisbanen, het basketbalveldje, de fontein, die allemaal onuitwisbaar in mijn geheugen gegrift staan. Ik zou slapend naar dit park kunnen lopen, net zoals ik het zo vaak in mijn boeken heb bezocht.

'Laten we ergens naartoe gaan,' zeg ik.

'Morgen,' zegt ze. 'Morgen neem ik vrij van mijn werk en dan gaan we ergens heen.'

De volgende ochtend vertrekken we. De bewegingen van de auto hebben een kalmerende uitwerking – ze compenseren mijn onvermogen mezelf te verplaatsen en bevredigen mijn behoefte verplaatst te wórden, gedragen te worden. De weg ontrolt zich voor ons.

Ik vertel mijn moeder niet wat er op de dag van de bloedtest is gebeurd, ik vertel haar niet hoe ontzettend depressief ik ben. Ik hou mijn mond omdat ze toch maar zenuwachtig en kwaad zal worden van alles wat ik zeg, en dan zit ik met háár gevoelens opgescheept. En ik heb het momenteel al moeilijk genoeg met de mijne.

Ik wou dat ik een video van Norman had, van zijn achterste dat zich van me verwijdert. Ik wou dat ik een bandopname had waarop hij zegt: Je bent er niet op gekleed. Ik wou dat ik Ellen op geluidsband had, haar misplaatste projecties, haar rare gewoonte mij in de war te brengen met haar dode moeder, mij ervan te beschuldigen dat ik haar niet genoeg aandacht geef, niet genoeg voor haar doe.

Ik wou dat ik dat alles in een dusdanige vorm bezat dat ik het op een langwerpige tafel kon uitstallen – als bewijsmateriaal.

Mijn moeder rijdt ons het verleden in, naar Berkeley Springs, West-Virginia, een duister, bedompt oud stadje. Hier ging George Washington naartoe als hij een bad wilde nemen; hier zijn de oudste geneeskrachtige baden van ons land. Mijn grootouders gingen hier altijd met ons heen.

Deze plek uit mijn verleden voelt vertrouwd, onaanraakbaar, onveranderd. Ik ben blij dat ik iets heb teruggevonden

dat verder teruggaat dan ikzelf. Het badhuis heeft een vrou-
wen- en een mannenafdeling; alle aanwezigen zijn oeroud,
directe afstammelingen van George Washington. Ik stel me
voor dat het op een Zweeds sanatorium lijkt; het heeft iets intens medisch – we zijn hier om te kuren.

Het dobberen in het heilige, eerbiedwaardige water is lou-
terend; op een zware stenen tafel liggen terwijl een oude
vrouw mijn huid kneedt, past precies bij dit moment in mijn
leven. De volmaakte ontsnapping.

We laten ons verwennen, en na afloop gaan we clubsand-
wiches eten in het oude hotel en dan naar huis.

Aan de telefoon vertelt Norman dat hij iets voor me heeft, iets
wat hij me wil geven; eerst zegt hij dat hij het zal opsturen,
vervolgens dat hij zal wachten tot hij het me persoonlijk kan
overhandigen. Ik neem aan dat het om een familie-erfstuk
gaat, iets van hem of van zijn moeder, iets wat met de Arc
of de Dove naar Amerika is gekomen, iets wat de nazi heeft
meegenomen, een cadeau van zijn vader aan zijn moeder, iets
wat hij aan Ellen wilde geven. Wat het ook is, hij geeft het me
nooit, hij komt er nooit meer op terug.

In de maanden die volgen ontmoeten we elkaar nog een paar
maal. We spreken af in hotels, in Holiday Inns, Marriotts,
Comfort Inns, Renaissance Quarters, die vreemde plekken
die geen echte plekken zijn, het ergens dat nergens is.

We ontmoeten elkaar in de lobby, geven elkaar een onhan-
dige begroetingskus en gaan dan in het atrium, op het bin-
nenterras of in het restaurant zitten kijken naar de genum-
merde deuren en de schoonmaakkarretjes die de ronde doen.
We komen van buiten en belanden pardoes in een wereld met

airconditioning en potplanten die automatisch water krijgen en met de seizoenen wisselen als veldgewassen, waar alles is opgeschort – hermetisch afgesloten.

Sinds Norman iets van mijn kleding heeft gezegd, tob ik erover wat ik moet aantrekken en hoe ik eruitzie. Ik heb voortdurend het gevoel dat ik word getaxeerd. Ik wil zijn goedkeuring. Er is iets aan hem wat me bevalt – zijn formaat; hij is formidabel, meer dan levensgroot. Soms beangstigt het me, soms lokt het me naar een andere wereld, een mannenwereld.

Het heeft iets armoedigs om elkaar midden op de middag in die saaie hotels te ontmoeten. Denkt hij dat we daar veilig zijn, dat niemand ons er zal zien? Heeft hij er een bepaalde bedoeling mee? Het is me nooit duidelijk waarom we daar afspreken.

'Je weet niet wat het me doet om naar je te kijken,' zegt hij.

Hij bedoelt niet dat de gelijkenis zo treffend is of dat hij trots is op wat ik in mijn leven heb bereikt.

'Je weet niet wat het me doet om naar je te kijken.' Hij zegt het op een vreemde manier. Hij kijkt naar mij en ziet iemand anders.

Hij maakt nooit aanstalten om een volgende stap te zetten, terwijl ik dat de hele tijd verwacht. Ik stel me voor dat hij zegt: Ik heb een kamer geboekt, ik wil je naakt zien. Ik stel me voor dat ik me uitkleed als onderdeel van de procedure om te bewijzen wie ik ben, als onderdeel van de vernedering.

Ik stel me voor dat hij me neukt.

Ik stel me voor dat ik Ellen ben en dat hij haar eenendertig jaar geleden neukt.

Ik stel me iets intens treurigs voor.

Het zijn uiterst vreemde fantasieën en ik merk dat hij ze ook heeft.

Ik heb hierover gelezen; het komt vaak voor dat er bij de eerste contacten tussen ouder en kind een verschuiving van gevoelens optreedt – de heftigheid, de intimiteit uit zich bij volwassenen vaak als seksuele aantrekking. Maar hoe gewoon, hoe bijna voor de hand liggend ook, deze gevoelens kunnen uiteraard niet verder worden verkend.

Hij zegt niets over de bloedtest – de uitslag kan acht tot twaalf weken op zich laten wachten. Hij zegt niet dat hij zijn andere kinderen over mij heeft verteld. Wel vertelt hij dat hij dol is op zijn kleinkinderen. Hij vertelt me hoe dik hij met zijn oma was. En voor de tweede keer vertelt hij wat zijn trainer hem destijds leerde: altijd doorgaan, nooit opgeven.

Hij vraagt of ik met haar heb gepraat.

'Ja,' zeg ik. 'Jij ook?'

Hij knikt.

'Ze wil bij me langskomen,' vertel ik. 'Ze stuurt me brieven waarin ze fantaseert over bezoeken aan de dierentuin in Central Park, strandwandelingen, etentjes. Ze heeft geen idee hoe vreemd ik tegen alles aankijk. En ze is onverbiddelijk – ze zou mijn hele leven kunnen overnemen, me levend kunnen verslinden.'

Hij glimlacht. 'Ja, 't is een koppige tante.'

'Ze vraagt wanneer wij met z'n drieën uit eten gaan.'

Hij zegt niets.

'Kunnen jullie niet eens met z'n tweeën gaan eten?'

Norman bloost. 'Dat lijkt me geen goed idee.' Hij schudt zijn hoofd, alsof hij wil zeggen: Je weet toch waar dat op uitdraait. Als hij haar alleen maar zag, zou alles van voren af aan beginnen. Hij is nog steeds bang voor de macht die zij over hem heeft. Ik heb het gevoel dat hij zichzelf (of sterker nog: zijn vrouw) heeft beloofd haar nooit meer te zien. Er is veel meer gebeurd dan ik ooit zal weten.

Hij schuift heen en weer in zijn stoel. Hij is nooit op zijn gemak.

'Oude blessures,' zegt hij, 'uit de oorlog, van football-wedstrijden. Ik kan niet lang stilzitten.'

Er valt een stilte.

'Mijn vrouw is jaloers op je,' zegt hij.

De zeldzame keren dat ik Norman bel en zijn vrouw de telefoon aanneemt, laat ze nooit merken dat ze weet wie ik ben, ze vraagt nooit hoe het met me gaat, zegt nooit iets anders dan 'Moment' en gaat dan naar hem op zoek.

Soms kom ik in de verleiding om iets te zeggen, iets simpels als 'Hoe gaat het?' of 'Sorry voor alle onrust', maar dan bedenk ik weer dat dat niet mijn pakkie-an is. Ik kan niet álles doen.

'Moment.'

Ellen denkt dat ik haar moeder ben, Norman denkt dat ik Ellen ben en volgens mij denkt Normans vrouw dat ik een reincarnatie van de minnares ben.

In september 1993 ben ik ergens in Maryland op een eerstehulpafdeling met mijn grootmoeder, die is gevallen en haar heup heeft gebroken. Ik luister mijn berichten af terwijl ik op de uitslag van haar röntgenfoto's wacht. Norman heeft een bericht ingesproken.

Het is al laat als ik weer in het huis van mijn ouders ben. Ik bel terug. Norman neemt op.

'Hoe gaat het?' vraagt hij.

Ik vertel van mijn grootmoeder.

'Ik heb je iets te vertellen,' zegt hij.

Ik zeg niets. Ik ben niet in de stemming voor spelletjes.

'De testuitslag is er,' zegt hij.

'Wil je me onder vier ogen spreken?' vraag ik.

'Zullen we in het hotel afspreken?'

'Welk hotel?'

'In Rockville.'

'Goed,' zeg ik. 'Maar waarom vertel je me de uitslag niet gewoon?'

'Alles is goed,' zegt hij.

'Hoe bedoel je?'

'Alles is goed. We praten dan wel verder. Morgen om vier uur?'

Alles is helemaal niet goed. Mijn geduld raakt op. Het is een spelletje, een spelletje dat Ellen en Norman spelen, en ik zit ertussenin, ik word heen en weer gekaatst. Hij maakt het erger door me een nacht in spanning te laten zitten, een nacht met weinig slaap en veel gepieker. Ik tob er niet zozeer over of hij al of niet mijn vader is, maar meer over de vraag waarom ik steeds naar hem terugga. Ik zal de hele waarheid nooit kennen. Er is enorm veel wat niemand me vertelt.

We treffen elkaar in het hotel. We gaan in de varenbar zitten, in het atrium met veel glas – het lijkt wel een scène uit een sciencefictionfilm, een futuristische bio-setting, de lunchroom van een ruimtelaboratorium.

'Ik heb de uitslag van de DNA-test,' zegt hij.

'Ja.'

De serveerster komt onze bestelling opnemen. Ik zeg dat ik niets hoef.

'Zelfs geen thee?' vraagt Norman.

'Zelfs geen thee.'

'Water?' vraagt de serveerster.

'Nee.'

Norman wacht tot zijn gingerale wordt gebracht voordat hij iets zegt.

'Volgens de test is het negenennegentig komma negen procent zeker dat ik je vader ben.' Korte stilte. 'Wat wordt er nu van mij verwacht?'

Ik ben geen stuk taart.

'Wat wordt er nu van mij verwacht?'

Ik zeg niets.

Norman zegt niets over zijn kinderen, noch dat hij me aan zijn gezin zal voorstellen of me de grote verrassing achter de derde deur zal laten zien. Hij neemt een slokje van zijn gingerale en kijkt me doordringend aan.

'Nu ik je vader ben, vind ik dat ik het recht heb je iets te vragen. Heb je op dit moment iemand?'

'Nee.' Ik weet niet of het een antwoord op zijn vraag is of een weigering om te antwoorden.

'Heb je het aan je kinderen verteld?' vraag ik.

'Nee, nog niet,' zegt hij.

Ik vraag me af of hij zijn andere kinderen ook rond theetijd in goedkope hotels ontmoet.

We gaan weg zonder afscheid te nemen, zonder te bespreken hoe het verder moet.

In oktober ben ik in Washington voor een lezing. Norman hoort ervan en spreekt een bericht in. 'Je komt naar de stad,' zegt hij. 'Oké. Zullen we wat afspreken?'

Ik bel terug. 'Moment,' zegt zijn vrouw.

'Ook wat,' zegt Norman als hij aan de telefoon komt. 'Jij en mijn dochter, op dezelfde dag in dezelfde krant.'

Ik heb geen idee waar hij het over heeft.

'In de *Gazette* staan foto's van jou en van mijn dochter. Wat zeg je me daarvan?' Hij klinkt vreemd trots – twee van zijn kinderen staan in de plaatselijke krant.

Jij en mijn dochter...

Ik ben het spook, degene die niet bestaat. Zie ik mezelf wel als ik in de spiegel kijk?

'Heb je al bedacht hoe je het ze gaat vertellen?' vraag ik.

'Nee,' zegt hij. 'Daar worstel ik nog een beetje mee.' Hij zegt het alsof het iets is wat hij moet repareren, een auto-onderdeel waaraan hij moet sleutelen. Ik heb het gevoel dat zijn vrouw hem tegenhoudt.

Hij begint over iets anders, scheidt zijn twee gezinnen van elkaar. Hij vraagt of ik Ellen nog heb gesproken.

'Ze dreigt naar New York te verhuizen.'

'Ja, zoiets zei ze ook tegen mij – ze is er de laatste tijd veel geweest. Volgens mij had ze gisteren of eergisteren weer een sollicitatiegesprek.'

Mijn nekharen gaan overeind staan – ik heb het opeens koud. Ellen heeft helemaal niet gezegd dat ze in de stad was. Dat ze naar de stad komt zonder iets tegen mij te zeggen is beangstigender dan wanneer ik het wel zou weten. Heeft ze voor mijn flatgebouw rondgehangen om me te bespioneren? Heeft ze me geschaduwd?

Als Ellen naar New York verhuist, ga ik weg. Ik wil niet in dezelfde plaats wonen als zij.

'Zullen we in het hotel afspreken?'

'Nee, ik ga morgenvroeg al terug.'

Norman grinnikt. 'Ik kan er maar niet over uit,' zegt hij. 'Jij en je zus in dezelfde krant, hoe vind je zoiets?'

Ik denk na over Ellens verhuizing naar New York. Ik denk aan zijn andere dochter, in dezelfde krant. Washington is niet veilig meer. New York is niet veilig. Ik ben nergens thuis. Ik stap in de auto van mijn moeder en rijd weg. Het stortregent. Ik geef gas, vlieg door het niets alsof ik naar iets onderweg ben, alsof er een noodgeval is. Ik wil die zus zien, zien op wie hij zo trots is. Het is spitsuur, er staat water in de straten. 'We zitten midden in een gebied met zeer zware regenval,' zegt de nieuwslezer op de radio. 'Op sommige plaatsen is de stroom uitgevallen en er is kans op overstromingen.'

Die krant is plaatselijk, zéér plaatselijk. Hij is alleen verkrijgbaar in een klein gebied rondom Normans huis – vlak bij de plek waar ik mijn lezing moet houden. Het is net een scène uit een film. Ik ben in trance, ik ben niet meer te stoppen. Ik passeer gestrande auto's – zwaailichten, agenten die het verkeer regelen. Ik registreer niets. Ik ga mijn zus ontmoeten – nou ja, niet ontmoeten, maar wel zien.

Als ik bij het winkelcentrum in de buurt van Normans huis ben, parkeer ik en schiet een ansichtkaartenwinkeltje binnen. Ik pak een stapel exemplaren van de krant en hol terug naar de auto.

De kranten zijn nat, de pagina's plakken aan elkaar en scheuren als ik eraan trek, de regen heeft vlekken op het papier gemaakt, de tekst loopt uit en vervaagt. Ik vind de foto van mezelf – het is de publiciteitsfoto van het boek, vreemd plechtig en misplaatst in het licht van wat er nu gebeurt. Ik kijk naar mezelf, nog onwetend van wat er op dit moment gaande is. Ik laat mijn blik over de pagina gaan. Daar: 'Poppenjurken'. Het artikel gaat over een barbie-kindermodeshow bij McDonald's. Met een foto van Normans kleindochter, verkleed als een barbiepop. Normans dochter, mijn zus, is bijna onzichtbaar. Ze zit op een stoel, voorovergebogen, met een grote hoed op die het grootste deel van haar gezicht bedekt. Ze draagt een witte broek met iets met stippen om de taille, een brede ceintuur. Is zij gekleed op een goeie lunch? Heeft ze sieraden?

Ik bestudeer de foto zorgvuldig, zie haar dikke dij, haar buik, haar voeten, haar uitgestoken hand, en ik zie míjn dij, mijn buik, mijn voeten, mijn hand.

Het hele tafereel heeft iets intens ironisch en zieligs. Ik zit naar een stuk nat krantenpapier te staren om erachter te komen hoe mijn zus, die niet eens weet dat ze een zus heeft, eruitziet. En ik voel een onbeschrijfelijke teleurstelling. Ze zit bij een McDonald's met haar als barbiepop verklede dochtertje, en ik kan aan niets anders denken dan aan mijn eigen verhaal 'Een echte pop', waarin een jongen wat heeft met een barbie-pop. In dat verhaal was ik ironisch; zij is serieus. En het allerergste: Norman stelt die foto van zijn dochter die met haar kinderen naar een modeshow bij McDonald's gaat op één lijn met een verslag van de bijeenkomst waarop ik uit mijn derde boek voorlees. Zijn dochter is naar finishing school geweest, was de ster van het eindexamenbal en is nu 'interieurontwerpster'. Ze heeft dikke dijen, een buik en klauwen van handen, maar weet zich ongetwijfeld te kleden voor een lunch. Het is verdomd deprimerend.

Drijfnat rij ik terug naar het huis van mijn ouders. Ik heb nog tien minuten, dan moet ik naar mijn lezing.

Ik ga alleen. Sinds die keer dat Ellen onverhoeds in die boekwinkel opdook, ben ik bang voor incidenten. Mijn ouders willen mee, maar ik zeg dat dat niet hoeft. Ik bescherm hen, maar evengoed mezelf. De bibliotheek waar ik mijn lezing houd, ligt op de route naar Normans huis en oom George woont er vlakbij. Ik heb geen idee of Ellen haar broer over mij heeft verteld, of ze eigenlijk wel on speaking terms zijn. Ik weet nooit wie hoeveel weet.

Bibliotheken zijn heilige, veilige plaatsen waar men wordt geacht zich netjes te gedragen; het zijn vertrouwde plekken voor wie van boeken houdt.

Ik ben merkwaardig slecht op mijn gemak; vanaf het moment dat ik binnenkom heb ik het gevoel dat 'ze' er zijn – ik weet niet precies wie, maar ik voel dat ik word geobserveerd, getaxeerd. Ik heb het vreemde gevoel dat er iets anders speelt – er zijn hier mensen die om een andere reden zijn gekomen dan om mij te horen voorlezen. Er komt niemand naar me toe, niemand stelt zich voor of maakt zich op een andere manier bekend. Het is onvoorstelbaar eng.

De bibliothecaresse leidt mij in en ik sta op om te beginnen. De podiumlampen zijn fel; ik kan niet ver genoeg het publiek in kijken om me ieder gezicht in te prenten. Ik wou dat er lijfwachten aan weerskanten van het podium stonden die namens mij opletten, mensen observeerden, gezichten herkenden, dingen in de speldmicrofoontjes op hun revers fluisterden.

Ik lees voor uit een roman waar ik nog aan bezig ben. Het publiek luistert aandachtig. Er zijn vrouwen van boekenclubs, vrienden van de middelbare school, fans met eerste drukken, vaste bezoekers van de bibliotheek, maar er is nog iets, een onbenoembaar krachtenveld. Ik ben blootgesteld aan blikken, voel dat ik bekeken, nauwkeurig bestudeerd word, maar ik ben verplicht te blijven lezen, te doen alsof ik niet weet wat er gaande is. Denken ze dat ik niet weet dat zij er zijn, me niet bewust ben van hun aanwezigheid, dat ze onzichtbaar en anoniem zijn in het donker?

Ik wou dat ik de lampen kon omdraaien, het publiek ermee kon beschijnen – ik heb óók een paar vragen. Ik kom in de verleiding om een Lenny Bruce-act te beginnen, de voorstelling te onderbreken en de onbekende gasten toe te spreken, hen te smeken zich bekend te maken – hé, spionnen van een andere planeet, het is oktober, het minste wat jullie zouden kunnen doen is een Halloween-kostuum aantrekken, je uitdossen als geraamte of zoiets. Maar de mensen zouden denken dat ik gek was geworden.

Als ik klaar ben, vraagt de bibliothecaresse of ik vragen uit het publiek wil beantwoorden. 'Natuurlijk, met alle plezier.' Er worden handen opgestoken.

Vroeger vond ik dat elke vraag een antwoord verdiende, ik voelde me verplicht alles zo volledig en eerlijk mogelijk te beantwoorden. Nu niet meer.

'Hoe komt u aan uw ideeën?' vraagt iemand.

'Van u,' zeg ik. Het publiek lacht. Ik kijk naar de vrouw die de vraag heeft gesteld; ze ziet er zeer onschuldig uit. 'Ik kijk naar de wereld waarin we leven,' vervolg ik, 'ik lees de krant, ik kijk naar het nieuws. Wat ik schrijf lijkt vaak extreem, maar in werkelijkheid gebeurt het iedere dag.'

Sommige vragenstellers dagen me uit, stellen me op de proef. Ik heb het gevoel dat ze, afhankelijk van mijn antwoord, zullen zeggen: U liegt, ik weet dit, of dat, over u.

Ik wijs naar een opgestoken hand.

'Is uw werk autobiografisch?'

Ik voel de gespannen aandacht van de observatoren.

'Nee,' zeg ik. 'Iets echt autobiografisch heb ik tot nu toe niet geschreven.'

Ze jennen me.

'Bent u geadopteerd?'

'Ja, en binnenkort word ik opnieuw ter adoptie aangeboden, dus mocht iemand geïnteresseerd zijn, meld u bij de bibliothecaresse achter in de zaal.' Weer gelach.

'Weet u wie uw ouders zijn? Hebt u naar ze gezocht?'

'Ik ben altijd op zoek,' zeg ik, 'maar nee, niet op de manier die u bedoelt.'

Achttien december 1993. Mijn verjaardag, de bliksemafleider, de as waar ik om draai. Ik klamp me er krampachtig aan vast – een non-viering.

Hoe kan iemand zonder geschiedenis een verjaardag hebben? Weten jullie zeker dat ik op die datum geboren ben? Hoe oud ik precies ben? Hoe weten jullie dat? Hebben jullie bewijzen?

Ik ben in 1961 geboren. Mijn geboortebewijs is in 1963 uitgegeven. Is dat normaal? Werd de uitgifte vertraagd omdat ik bij niemand hoorde, in een schemergebied zweefde, wachtend tot ik iemand zou zijn?

Had ik gedurende die twee ontbrekende jaren een andere naam? Om de verwarring nog groter te maken valt mijn verjaardag midden in een periode vol feestdagen; niet alleen komen alle aspecten van de geboorte aan bod, maar ook de voortdurende, eeuwenoude strijd tussen de christenen en de joden, die merkwaardig genoeg ook onderdeel is van het strijdperk van mijn biologische afkomst.

December, de feestmaand, is de tijd van mijn verborgen verdriet.

Elk jaar opnieuw moet ik onwillekeurig aan de vrouw denken die mij heeft afgestaan. Ik merk dat ik iemand mis die ik nooit heb gekend en me afvraag of zij mij ook mist. Is zij op zoek naar de dingen die ik voor mezelf koop? Weet mijn vader dat ik besta? Heb ik broers en zussen? Weet iemand wie ik ben? Ik treur wekenlang.

Op dit moment zou er minstens een landelijke feestmaand, een officiële parade ter ere van mijn bestaan, voor nodig zijn om me ervan te overtuigen dat ik welkom ben op deze planeet. En zelfs dan weet ik nog niet zeker of ik het zou geloven, of ik niet de verdenking zou hebben dat het een poging was om me te paaien, me tijdelijk uit mijn zwarte gat te lokken.

En dit jaar is het iets geheel nieuws, nog afschuwelijker, alsof ik weer bij nul moet beginnen en alles nog een keer moet meemaken, een nieuwe verjaardag met een oud kind, voor het eerst met vier in plaats van twee ouders, een schizoïde deling van de zygoot, verder dan de goden ooit hadden bedoeld.

Iedereen zit me op de huid, wil iets van me.

Mijn ouders, die meestal niets organiseren, zijn een uitstapje naar New York aan het plannen. Ik wimpel ze snel af.

En Ellen belt me elke avond en smeekt of ze me mag zien, want ze heeft het gevoel dat het ook een beetje haar verjaardag is.

'Je bent jarig,' zegt ze. 'Toe nou, alsjeblieft.' En ze begint te huilen, de aansteker klikt en: 'Heb je een momentje, even een glas water halen.'

Ze schrijft een brief waarin ze zegt dat december al eenendertig jaar een kwelling voor haar is, ze vindt die maand ondraaglijk, deprimerend, enzovoort. En hoe fijn het ook is dat ze me nooit is vergeten, het is nog veel vreemder dat ze me nog steeds niet kent.

Norman belt om te vragen of ik nog 'speciale plannen' heb. Hij zegt dat hij me iets zal sturen; hij heeft met Ellen overlegd wat een goed cadeau zou zijn en hij zal het per post sturen – aangetekend en per expresse, zodat het er op tijd is.

De dag zelf duik ik onder. Ik zet de telefoon uit en reageer niet op de deurbel.

Later ga ik naar beneden en zie dat mensen bloemen en cadeaus voor me hebben neergelegd, zoals vreemden doen op de plek van een tragisch ongeluk. Mijn vrienden hebben een waar altaar voor de jarige opgericht, met een boeket van FTD, een beterschapskaart, enzovoort.

Norman heeft een verguld medaillon in de vorm van een hart gestuurd, zo een dat je kunt openklappen om er twee foto's in te schuiven – meer iets voor een klein meisje. Een heel vreemd cadeau voor iemand van tweeëndertig. Is dit een sieraad? Meer een soort meisjessieraad, net zoiets als je eerste beha. (Als kerstcadeau zal hij me een dunne kasjmier trui sturen, en ik zal me afvragen of Ellen zoiets bedoelde toen ze het over mijn 'kasjmier trui' had.)

Ellen stuurt een verjaarskaart, bedoeld voor een klein kind, in de vorm van een teddybeer, met de tekst 'Liefs, mama Ellen'. Een kinderkaart, een zijdeachtig negligé dat me aan Mrs. Robinson doet denken en een doos handgemaakte bonbons uit haar favoriete chocolaterie in Atlantic City. De bonbons zijn dik, massief, rond, gevuld – ze zien eruit alsof ze zwaar op de maag liggen. Ik kan de dingen die ze me stuurt niet bewaren en ik kan ze ook niet weggooien. Ik deel de bonbons uit. Die avond geef ik er mijn vrienden allemaal een, als een hostie bij de heilige communie: dit is het lichaam van de moeder. 'Hier,' zeg ik terwijl ik ze de doos voorhoud zonder zelf iets te nemen, 'proef maar', en ik kijk hoe ze de bonbons doorslikken.

Kerstavond – het is een jaar geleden dat het allemaal begon. Ik zit in de trein naar Washington – hij zit stampvol, de stemming is feestelijk, de bagagerekken puilen uit van fraai verpakte cadeaus. Ik heb ook cadeaus bij me, hoewel mijn moeder heeft gezegd dat we geen Kerstmis vieren. We vieren tenslotte ook geen Chanoeka.

We doorstaan de feestdagen door te doen alsof ze niet bestaan, door ze te negeren. We houden onze adem in – het gaat vanzelf voorbij. Er hangt een onzichtbare wolk boven het huis, een deprimerend houtskoolgrijs, als het decor voor een toneelstuk van Eugene O'Neill.

Ergens vind ik dat het niet moeilijk zou moeten zijn om een feestdag te vieren; je kiest een dag uit die je leuk vindt en die vier je dan. Elk jaar neem ik me iets vastberadener voor dat ik het voor mezelf zo zal doen, mijn eigen feestdag zal maken.

In de winter waarin ik negen werd had ik mijn zinnen op een kerstboom gezet. Ik snapte niet waarom iedereen in onze straat een kerstboom had behalve wij.

'We zijn joods,' zei mijn moeder. 'Joden halen geen bomen in huis.'

'Maar vroeger waren we toch niet joods?' Tot dat jaar hadden we altijd Kerstmis gevierd, zonder boom weliswaar, maar toch: Kerstmis. Ik weet nog dat ik een schaal koekjes voor de kerstman klaarzette, die de volgende ochtend leeg was. Er hing een lange rode kous aan de schoorsteenmantel met een oranje bobbel in de teen, en aan de bovenkant puilden er walnoten uit; voor de kachel lagen cadeautjes. Dat had ik me echt niet verbeeld. Tot dan toe waren we net zo geweest als iedereen, en toen waren we opeens anders.

'Dat was een vergissing,' zei mijn moeder. 'Mijn fout. Joden vieren geen Kerstmis, wij hebben Chanoeka, het Lichtfeest.'

'Maar de Solomons zijn ook joods, en die hebben wel een boom.'

'Dat moeten zij weten,' zei ze.

En we waren helemaal niet erg gelovig. Op Jom Kipoer, de heiligste van alle grote feestdagen, Grote Verzoendag, een dag waarop je hoort te vasten, baden wij alleen even om ons plichtmatig te melden bij God en begonnen daarna aan een verlaat ontbijt. Maar nu was Kerstmis zomaar plompverloren in Chanoeka veranderd. Het begon al vroeg en duurde acht dagen, als een bijbelse plaag.

We gingen rond een menora staan en staken de kaarsen aan. Niemand kende het gebed; in plaats daarvan zeiden we een gewoon dankgebed. Bedankt hè? Mogen we het ook ruilen?

Na de vierde avond haakte mijn broer af. 'Nou weet ik het wel,' zei hij, en hij weigerde uit zijn kamer te komen.

Vanuit mijn slaapkamerraam kon ik de boom van de buren zien, vol fonkelende glazen ijspegels, witte lichtpuntjes, gekleurde ballen, engelenhaar.

De dag na Kerstmis ging mijn moeder met me naar de bibliotheek. Naast het gebouw was een veldje waar kerstbomen werden verkocht. Ik ging er stiekem heen en sprak de verkoper aan. Het kostte nog verbazend veel moeite om hem – de dag na Kerstmis – over te halen erbarmen te hebben met een negenjarig meisje uit een huis zonder kerstboom, maar uiteindelijk stond hij me een miezerig boompje af. Ik sleepte het naar de auto, sjorde het tussen voor- en achterbank en ging weer naar mijn moeder in de bibliotheek. Ik was hevig opgewonden over mijn slimme actie, buiten mezelf van blijdschap. Toen we weer thuis waren, sprong ik uit de auto en begon de boom richting huis te slepen, maar mijn moeder gilde: 'Wat doe je nou? Dat ding mag niet naar binnen, dat is een boom!'

'Waarom niet? Gewoon, een boompje.'

'Niet in de huiskamer, dat ding mag niet in de huiskamer.'

'Waarom kunnen wij niet zijn zoals iedereen?'

'Omdat we joods zijn,' zei mijn moeder.

En dus kwam de boom in mijn kamer te staan. Ik wist niets van bomen of standaards; ik zette hem in een koffieblik van Maxwell House. De boom helde naar één kant over. Ik liet hem tegen de muur steunen. Het was een onooglijk, schriel ding, een boompje dat niemand wilde hebben. Maar het was mijn boom, mijn Charlie Brown-boom. Ik was er dolgelukkig mee, ik gaf hem water en versierde hem met kartonnen ringen en popcorn aan draadjes. Ondanks mijn goede zorgen ging de boom dood; hij werd bruin en begon uit te vallen. Toen ik de boom het huis uit sleepte, regende het naalden, die ooit zacht en soepel waren, maar nu scherp als doorns. Ik sleepte de boom het huis uit, door de tuin naar de achterkant, en smeet hem de heuvel af. Binnen had mijn moeder de Electrolux al gepakt en zwiepte haar grote toverstaf, de wonderborstel, door de hele gang.

En nu is het weer Kerstmis. Ik word wakker in het lits-jumeaux van mijn jeugd, maar ik ren niet dadelijk naar de huiskamer om te zien wat de kerstman voor me heeft gebracht. Ik lig te bedenken dat het maar één dag is en dat er geen reden is waarom het een nare dag zou moeten zijn, zo anders dan anders. Ik haal diep adem en zeg tegen mezelf dat ik er een mooie dag van ga maken.

De telefoon gaat. Ik hoor mijn moeder in de keuken opnemen. Ze roept me.

'Hoe gaat het?' vraagt Norman. 'Ik wilde je alleen even een hele fijne kerst toewensen. Wat ga je vandaag doen?'

'Niks,' zeg ik.

Volgens mij gelooft hij me niet.

'Ik ga zo naar de kerk met mijn vrouw en kinderen, maar ik wou toch nog even wat laten horen. Ho ho ho.'

Een korte stilte.

'Heb je nog wat van de Drakenvrouw gehoord?'

'Ze is bij vrienden in Atlantic City, ze gaan naar een show in een van de casino's, Wayne Newton of zoiets.'

'Oké,' zegt hij.

'Ja,' zeg ik.

'Zeg, ik weet niet hoe lang je in de stad blijft... Ik heb vandaag geen tijd om iets af te spreken, maar verderop in de week misschien wel. Als je er dan nog bent.'

'Dat weet ik nog niet,' zeg ik, en ik verwacht ieder ogenblik spontaan te ontbranden totdat er alleen nog een hoopje smeulende as van me over is, dat mijn moeder met haar Electrolux-toverstaf kan opzuigen.

'Nou, een fijne dag nog, we hebben het er nog wel over.'

'Ja, jij ook. Vrolijk kerstfeest.' Ik hang op. Norman, de goede christen, gaat naar de kerk, en zijn 'andere' dochter blijft als een Assepoester achter, gevangen in het huis zonder feestdagen.

Ik ga naar de keuken. 'Alles goed met je?' vraagt mijn moeder.

'Ja hoor,' zeg ik terwijl ik de deur van de ijskast dichtsmijt. 'Prima.'

'Wil je een bagel?'

Voor mijn geestesoog zie ik gebraden kalkoenen, hammen, een overvloedig maal – te veel taart.

'Hoe smaakt ham?'

'Lekker,' zegt mijn moeder.

'Waarom eten we het nooit?'

'Je vader houdt niet zo van vlees – hij vindt dat hij vegetariër is.'

Ondanks mijn voornemen om er een mooie dag van te maken stort ik in. Norman gaat naar de kerk met zijn gezin en daarna genieten van een lekkere kerstmaaltijd, en ze hebben godverdomme een kerstboom. Dat weet ik omdat ik gisteravond laat langs het huis ben gereden en de oprit vol met auto's heb gezien, de krans op de deur, ontelbare lichtjes binnen.

's Middags begint mijn moeder aan het winterse equivalent van een voorjaarsschoonmaak. Ze staat op een huishoudtrap in de inloopkast. 'Zeggen deze dingen je iets?' Ze laat me een oude koekenpan zien, een koektrommel, een bord waar stukken af zijn.

'Nee. – Misschien ga ik wel naar de film,' zeg ik.

'Denk je dat er nog kaartjes zijn?' vraagt mijn moeder.

Mijn vader zit in de huiskamer te lezen. 'Welke film wil je zien?'

'*Schindler's List.*'

'Daar heb ik een slechte recensie van gelezen,' zegt mijn vader.

'Nou, veel plezier dan,' zegt mijn moeder.

'Het is een akelige film. Daarom ga ik er juist heen.'

Als kind was ik ervan overtuigd dat elk gezin beter was dan het onze. Mijn hele jeugd keek ik vol ontzag naar andere gezinnen, nauwelijks in staat de gevoelens te verdragen, het haast pornografische genot van het kijken naar die kleine intimiteiten. Ik was een randfiguur, me er altijd van bewust dat ik, hoe welkom ik ook was – ik mocht komen eten en mee op uitstapjes – nooit een officiële status had, ik was altijd het 'vriendinnetje', de eerste die ze zouden achterlaten.

De bioscoop zit vol gezinnen, jonge stellen en oudere echtparen. Ik vind nog één plaats in het midden van een rij – iedereen staat op om mij door te laten. Ik zit in mijn eentje in de zaal, me er scherp van bewust dat ik de rest van mijn leven niet alleen wil zijn, bang dat het me nooit zal lukken iets van mijn leven te maken, dat ik te beschadigd ben om een echte band met iemand op te bouwen.

De film, gebaseerd op een roman van Thomas Keneally, vertelt het waar gebeurde verhaal van Oskar Schindler, een Duitse zakenman, nazi en rokkenjager, die uiteindelijk een politieke draai maakte en het leven van elfhonderd joden redde. Tijdens het kijken denk ik aan Norman, Norman als Schindler – Duits, katholiek, charismatisch, charmant, worstelend met goed en kwaad. Ik kijk naar kampcommandant Goeth, die bij wijze van schietoefening joden afknalt, en denk aan de willekeur, de onvoorspelbaarheid van de geschiedenis. Zelfs degenen die fatsoenlijk of misschien zelfs heldhaftig lijken, zijn dat niet; het zijn mensen met ernstige tekortkomingen. De film gaat over de ontaarding van de ziel, worstelen om te midden van zoveel ondergang nog een beetje zelfrespect te bewaren, vechten om je in een vernietigingskamp te handhaven, menselijk, levend te blijven, zelfs in de dood. Over de christenen tegen de joden, het uit elkaar drijven van gezinnen – merkwaardig toepasselijk.

Als Norman werkelijk een goed mens was, de goede christen die hij voorgeeft te zijn, zou hij zijn verantwoordelijkheid nemen, zijn kinderen vertellen dat hij lang geleden een huwelijkscrisis had, dat hij een slippertje heeft gemaakt maar dat daar iets goeds uit is voortgekomen – ik.

Overal om me heen huilen mensen, maar ik merk dat ik de film opbeurend vind – hij past precies bij mijn stemming.

Ik rij naar huis. De lichten branden; ik sta voor het huis, het enige huis waar we ooit hebben gewoond, mijn familie en ik. Ik zet de auto in de carport. Ik ben heel kwaad en heel verdrietig, ik haat iedereen om wat hij is en om alles wat hij niet is. De emoties kolken omhoog, alles wat ik niet kan uitspreken begint zich in mij te roeren. Ik geef een dot gas. Ik stel me voor dat ik het huis ram, er dwars doorheen rijd, wanhopig verlangend alles achter me te laten wat me remt. Ik laat de motor razen en wou dat ik mijn voet van de rem haalde; de auto zwoegt onder mij. De auto, een hersenloze machine, wil vooruit, blindelings door de muur schieten, de keuken in. Ik stel me voor hoe de spullen uit de kastjes vallen, de borden breken, de motor zich door de achterkant van de ijskast boort, een koplamp zich in de groentela boort. Ik hoop dat de hond niet in de keuken is, dat er niet net iemand iets te eten pakt. Ik zit met mijn voet op het gaspedaal, ik wil het doen, maar dan denk ik aan mijn moeder en haar borden, ik bedenk hoeveel ze van haar borden houdt en hoeveel ik van haar hou, dat ik die borden niet kapot zou willen maken en dat het niet helemaal hetzelfde is als ik eerst naar binnen ga en alle spullen in veiligheid breng en dan weer naar buiten om de auto alsnog door de muur te rammen.

Ik zet de auto voor het huis, maar ik wil niet naar huis. Er is geen thuis, geen opluchting, geen gevoel dat ik het in ieder geval overleefd heb.

Het is bijna geen Kerstmis meer. Ik wil niet dat dit het deprimerendste verhaal aller tijden wordt. Ik zet de motor af. Ik wacht.

In januari 1994, vlak na de jaarwisseling, belt Ellen. 'Wanneer wil je me zien?' vraagt ze.

'Zaterdag,' zeg ik.

Ze schrikt hevig. Ikzelf ook. Ik weet niet precies hoe ik op zaterdag kwam, maar op de een of andere manier lijkt het onvermijdelijk. Hoe lang kan dit nog doorgaan: *Wanneer wil je me zien? Waarom wil je me niet zien?* We moeten elkaar op een afgesproken manier ontmoeten – niet als een kamikazeaanval, zoals toen in die boekwinkel. Er is geen goed moment, geen ideaal tijdstip. Ik voel weerzin, maar ik ben ook nieuwsgierig.

Ik zeg 'Zaterdag' en ik heb er meteen spijt van.

Ze vindt het veel te spannend. 'Waar zien we elkaar? Wat gaan we doen?' Ellen stelt zich de ontmoeting voor als een leuk dagje uit in New York – een ritje in een koets, een ijsje, samen naar een voorstelling (waarmee ze een musical bedoelt).

Ik denk aan één, hooguit twee uur. Minder is meer, denk ik.

'Laten we in het Plaza Hotel afspreken,' zegt ze. 'In de Oyster Bar.'

Het Plaza is onderdeel van de fantasie – de schilderijen van Eloise, thee om vier uur, toeristenattractie. De laatste keer dat ik er was stond Zsa Zsa Gabor in de lobby bij de man van de snoepwinkel om gratis bonbons te bedelen.

'Vind je het goed als ze je wil kussen?' vraagt een vriendin.

'Ik denk het niet,' zeg ik, en dan voel ik me schuldig. 'Als ze mijn hand wil kussen, mag dat.'

In alle boeken over adoptie en hereniging staat dat je na de hereniging met iemand moet afspreken om je op te vangen en de scherven op te ruimen. Ik bel een vriendin, iemand die zelf kinderen en kleinkinderen heeft, en spreek om zes uur met haar af in de Oak Bar. Als ik er niet ben, moet ze naar de Oyster Bar komen om me te halen, zeg ik. Dit voor het geval de moeder probeert me op de een of andere manier vast te houden, me in haar macht te krijgen, voor het geval ik van mijn vrije wil word beroofd en aan de klauwen van mijn moeder moet worden ontrukt.

'Wil je me aan je moeder voorstellen?' vraagt de vriendin.

'Eh, ja, tuurlijk,' zeg ik. Het lijkt vreemd dat zij opgewondener is, meer naar de ontmoeting uitkijkt dan ikzelf. Maar op het ogenblik komt álles me vreemd voor.

'Nee,' zegt ze, 'ik denk toch niet dat dat een goed idee is. Vertel me maar over haar. En misschien kun je een foto maken.'

Ik zou graag als mezelf willen gaan, niet mijn beste of doorsnee-zelf, maar mijn slechtste zelf. Uiteindelijk trek ik toch mooie kleren aan. Opnieuw heb ik de neiging een goede indruk te willen maken. In een fantasie die ik heb wil ik dat ze ziet hoe goed ik terecht ben gekomen, dat ze trots op me is.

Ze staat in de gang voor de Oyster Bar, in een donzig wit bontjasje, een zijden blouse met print en een sportieve broek, haar haar hoog opgestoken, het is nog net geen suikerspin. Ze ziet eruit als iemand uit een ander decennium – een vrouw die in glamour gelooft, die naar Burt Bacharach en Dinah Shore luistert om zichzelf op te vrolijken. Ik vermoed dat ze zich ook zo kleedde in de tijd dat ze met mijn vader omging – waarschijnlijk ontmoetten ze elkaar ook in hotels – maar ze is nu vijfenvijftig en de tijd heeft zijn tol geëist.

'Ben jij het?' vraagt ze met ingehouden adem.

'Niet te geloven,' zegt ze, waarbij haar stem ongecontroleerd uitschiet in een soort hese hysterie – op het randje van waanzin. 'Niet te geloven dat ik je echt zie.'

Ze pakt mijn hand en kust hem.

Voor we verdergaan wil ik naar een munttelefoon hollen om mijn vriendin te bellen. 'Weet je nog dat je vroeg of ik haar zou kussen? Nou, ze heeft mijn hand gekust. Heeft ze ons gesprek afgeluisterd? Wordt mijn telefoon afgetapt? Is dit het verschil tussen aangeboren en aangeleerd, hardware en software, *nature* en *nurture*?'

Ze kust mijn hand en ik wil weghollen.

Ik loop achter haar aan het restaurant in. Zij bestelt een Harveys Bristol Cream, ik een cola. Ik heb nog nooit iemand Harveys Bristol Cream zien drinken. Ik ken het spul alleen uit reclames; gedistingeerde koppels die Harveys drinken voor de open haard.

Ik voel me ineens in het defensief gedrongen; aan haar blik merk ik dat ik niet aan haar verwachtingen voldoe. Zij zit daar in haar ouwe konijnenbontje en ik zit tegenover haar in mijn beste kleren. Zij heeft haar middelbare school nooit afgemaakt en ik heb diverse masters-diploma's. Zij is degene die maandenlang om een ontmoeting heeft gebedeld en ik ben degene die haar ontliep. Ik hou mezelf voor dat de buitenkant niets zegt. Dat alles goed zal komen.

'Voor mij de kreeft,' zegt ze.

'En u?' vraagt de ober.

'Niets. Ik hoef niets.' Ik neem niets. Ik ben niets. Niets past het best bij mij.

'Neem ook kreeft,' zegt zij.

Ik ben allergisch voor kreeft. 'Het is goed zo,' zeg ik tegen de ober.

Ze begint over Atlantic City. Ze vertelt dat ze geen werk meer heeft – ik weet niet of ze bedoelt dat ze ontslag heeft genomen of gekregen – en dat ze samen met een paar 'fantastische mensen' een schoonheidssalon gaat beginnen. Ze praat over van alles, ze ratelt maar door, zonder te beseffen dat degene tegenover haar haar eigen kind én een volslagen vreemde voor haar is.

Haar kreeft komt, ze trekt een stukje vlees van de klauw, doopt het in een zilveren schaaltje met boter en steekt het in haar mond. Ze brengt de klauw voor haar gezicht om te zien of er nog meer aan zit. Ze wil steeds maar meer. Ik kijk verbijsterd naar haar, vraag me af hoe ze kan eten. Ik heb al moeite met ademhalen.

'Heeft je vader je nog iets gestuurd voor je verjaardag? Hij zou je iets heel moois sturen.'

Ik denk aan het vergulde medaillon, het cadeau voor een meisje van acht. Blijkbaar was dat haar idee – ze hebben het er van tevoren over gehad.

Ik zit als tweeëndertigjarige vrouw tegenover mijn moeder en ze is blind. Onzichtbaarheid is precies waar ik bang voor ben. Ik implodeer, verdwijn in mezelf als origami. Ik probeer wat te zeggen, maar ik heb geen woorden. Mijn reactie is primitief, pre-linguïstisch, pre-intuïtief – de herinnering van het lichaam.

Als ze haar kreeft op heeft, doet ze haar plastic slabbetje af en bestelt nog een drankje.

'Ik kan niet lang blijven,' zeg ik.

Ze pakt een sigarettenetui en trekt er een lange, dunne sigaret uit.

Ik kijk op mijn horloge.

'Kun je het me ooit vergeven?'

83

'Wat?'

'Dat ik je heb afgestaan.'

'Ik heb het je al vergeven. Je hebt het enig juiste gedaan,' zeg ik, en nog nooit heb ik iets zo oprecht gemeend. 'Echt waar.' Ik sta op.

'Ik moet weg,' zeg ik. Ik vlucht, laat de vrouw in het konijnenbont alleen met haar Harveys Bristol Cream.

'Zie ik je weer?' roept ze me na.

Ik doe alsof ik het niet hoor. Ik kijk niet om. Ik loop het restaurant uit en steek over naar de andere kant van het hotel; ik haal pas weer adem als ik veilig aan de andere kant ben.

Mijn vriendin zit in de Oak Bar. Het duurt een paar minuten voor ik in staat ben iets te zeggen.

'En, hoe was ze?'

'Ik heb geen idee.' Achteraf denk ik dat ik in shock was.

'Gaat het wel?' vraagt mijn vriendin.

'Ik weet het niet.'

'Vertel maar,' zegt ze.

Iemand anders, met andere hersenen, zou misschien dingen concluderen uit haar houding, haar gebaren. Alles wat ik weet uit te brengen is: 'Dusty Springfield.'

'Wat had je graag gewild dat ze deed?' vraagt mijn vriendin.

'Dat ze deed? Ik had graag gewild dat ze me had aangekeken en had gevraagd: Heb je iets nodig, kan ik iets voor je doen, is er iets wat je graag aan me kwijt wilt?'

'Heb je een volgende afspraak gemaakt?'

'Nee.' Ik zal haar nooit meer zien. Op de een of andere manier weet ik dat.

Op Valentijnsdag gaat de telefoon. 'Wat mij betreft mag je van het dak van je flat springen.'

'Ellen?'

'Ik ben kwaad op je, heb je het door?'

'Ja.'

'Je hebt me geen valentijnskaart gestuurd,' zegt ze.

'Ik wist niet dat je dat verwachtte,' zeg ik. 'Ik heb niemand een kaart gestuurd.'

'Je had alleen maar naar een winkel hoeven gaan om er een uit te zoeken.'

'Ik snap niet helemaal waarom je zo kwaad op me bent.'

'Je zorgt niet goed voor me,' zegt ze. 'Je moet me adopteren en goed voor me zorgen.'

'Ik kan je niet adopteren,' zeg ik.

'Waarom niet?'

Ik weet niet wat ik daarop moet zeggen. 'Je maakt me bang,' is alles wat ik kan uitbrengen.

'Ben je daar nog?' vraagt ze.

'Ja.'

'Heb je een momentje, even een glas water halen.' Haar accent, de langgerekte klinkers, de nasale Maryland-klank met een vleugje New Jersey-kust. Even een glas water halen. Was het water of Harveys Bristol Cream?

Zevenentwintig april 1994, de verjaardag van de moeder. Tegen het advies van vrienden in, die me na het Valentijnsdag-debacle aanraden niets meer te doen om haar aan te moedigen, afstand te houden, voorzichtig te zijn met dubbelzinnige signalen, met álle signalen eigenlijk, vind ik dat ik iets moet doen. Ik wil dat ze weet dat ik om haar geef, dat ik worstel en dat dit op dit moment het uiterste is waartoe ik in staat ben. Ik ken geen bloemisten in Atlantic City, en daarom bel ik FTD en geef hun opdracht hun mooiste boeket te sturen.

'Wie is de afzender?' vraagt de vrouw. 'Naam, adres, telefoonnummer.'

Ik geef haar mijn naam, adres en telefoonnummer en merk dat ik hevig zweet. Ik heb het gevoel of ik verhoord word. Hoeveel jaren zijn er verstreken waarin ik Ellens naam, adres en telefoonnummer niet wist?

'Geel, roze of rood?' Ik haat dat mens.

'Rood.'

'We kunnen morgen bezorgen.'

'Nee, het is voor volgende week. Ik wil het op de zevenentwintigste bezorgd hebben.'

Ik bestel ruim op tijd, ik wil goed voorbereid zijn, ik mag de datum niet missen.

'Bezorgen op de zevenentwintigste,' zegt de vrouw. 'En het kaartje?'

'Het kaartje?' Alleen al die vraag naar dat kaartje maakt me des duivels.

Het kaartje. '"Hartelijk gefeliciteerd, Ellen." Getekend: "A.M.".' Het woord 'Liefs' krijg ik niet over mijn lippen.

'Alleen maar "A.M."?' vraagt de medewerkster. 'Niet "Liefs, A.M."?'

'Nee.'

'"Lieve groet" of "Hartelijke groet" dan misschien?' vraagt ze.

'Ja,' zeg ik, 'goed van u. "Lieve groet", dat is mooi.'

'Hartelijke groet' klinkt als een zakenbrief. 'Lieve groet' klinkt een beetje autoritair, een beetje uit de hoogte, als iemand die probeert hartelijk over de komen. Later zegt iemand dat 'Warme groet' ook had gekund, maar dat klinkt niet goed, dan lijkt het alsof je je met opzet inhoudt.

'Goed,' zegt de vrouw. 'Het is voor een vriendin, hè?'

Daar denk ik over na. Ik peins over het verschil met het sturen van bloemen aan je moeder – 'Van harte gefeliciteerd, mam.' Dat is glashelder, geen misverstand mogelijk. Ik denk aan het sturen van bloemen aan een geliefde uit blijdschap, uit hartstocht, uit lichte spijt.

'"Lieve groet" dus,' zegt de telefoniste. 'Momentje, ik reken even het totaalbedrag uit.'

Het is in veel verschillende opzichten meer dan ik ervoor overhad. Ik hang uitgeput op.

In de loop van de zomer word ik uitgenodigd om Normans vrouw te ontmoeten – alsof ik op audiëntie ga bij de koningin, met dit verschil dat zij ook de klassieke stiefmoeder is. Norman regelt alles. We zullen elkaar in het Mayflower Hotel treffen, in het centrum van Washington – weer een hotel, ditmaal een van de oudste en historierijkste, dat bekendstaat als 'het op één na beste adres in Washington'.

Ik ben er te vroeg, weer op auditie, altijd maar op auditie voor een rol die eeuwig vaag blijft. Het hotel krioelt van de beveiligingsmensen – mannen met blauwe pakken en rode dassen die in hun revers praten. De gespannen sfeer, het nerveuze geroezemoes, het gemurmel van koptelefoons en walkietalkies geeft de hele situatie iets surrealistisch, een verhevigde psychologische realiteit. Een explosievenspeurhond wordt vlak langs me naar het damestoilet geleid. Zou ze echt de koningin zijn?

Norman is in de lobby en verwelkomt me met gespreide armen, alsof dit zijn eigen huis is. Hij zegt dat zijn vrouw tot zijn spijt iets later komt – er was iets met de dochter, iets vaag medisch en verontrustends. We babbelen wat over het verkeer en parkeren. Zij verschijnt en hij loopt naar haar toe, als haar knecht, haar dienaar, haar schuldige minnaar, een straatkat die zijn bastaardjong als verrassing het huis in sleept. Ze is niet wat je van een koningin zou verwachten – slonzig en stug, een gedrongen vrouw van middelbare leeftijd – en vanaf het moment dat we elkaar begroeten is duidelijk dat dit slechts een verplicht nummer is, dat ze volstrekt niet in mij geïnteresseerd is. Ze heeft zich haar mening over mij al gevormd.

Norman gaat ons voor, niet naar het restaurant, maar naar het cafégedeelte van de hotelbar. We gaan aan een rond tafeltje zitten dat veel te klein is voor drie vreemden. Norman zit tussen ons in. De serveerster komt. Zijn vrouw bestelt een halve sandwich en ik begrijp dat het niet lang zal duren, dat we het hier alle drie mee zullen moeten doen. Wij bestellen allebei eveneens een halve sandwich, en Norman ook iets te drinken.

'Je lijkt me erg aardig,' zegt ze.

Ik knik. Het is zo, ik ben uiterst beleefd en respectvol, ongeacht mijn gevoelens – die ten dele uit angst bestaan, en behoefte aan haar goedkeuring, haar acceptatie, een bewijs van erkenning.

'Norman zou je graag aan een heleboel mensen willen voorstellen, maar je begrijpt dat dat niet kan,' zegt ze.

Omdat dat gênant is voor jou, denk ik – omdat je er dan niet meer omheen kunt wat er is gebeurd.

Norman zit tussen ons in – ik hoor meer bij hem dan zij. Hij zegt niets.

Later zegt hij: 'Het klikte niet echt tussen jou en mijn vrouw, hè?', alsof dat mijn schuld is.

88

Ondertussen krijg ik brieven van Normans oudste zoon, die ook Norman heet – ik noem hem de Adopterende Christen. Hij heeft twee kinderen uit Korea en beroemt zich erop een goed mens te zijn en de juiste dingen te doen, vertelt verhalen over hoe geweldig zijn (onze) vader is, vraagt me of ik foto's van de anderen wil zien – hij speelt de rebel die aanbiedt me smokkelwaar toe te spelen.

Dit is de jongen die weleens met Norman en Ellen mee uitging. De enige getuige die alles heeft gezien. Hij was tien ten tijde van de huwelijkscrisis. Hij vindt dat we iets gemeen hebben – we kennen allebei het geheim van onze vader – waarbij de enige ongerijmdheid is dat ik het geheim niet zozeer ken als wel bén.

Norman regelt dat we een keer met z'n drieën lunchen op de sportclub vlak bij het huis van mijn ouders. Ik ben nog nooit in het clubgebouw geweest omdat mijn pleegouders uit politieke overwegingen zo mordicus tegen dit soort clubs zijn dat er in plaats van CCC net zo goed KKK had kunnen staan op de vlag die voor het gebouw wappert. Hier zijn zwarten, joden, 'anderen' niet welkom.

Dit is de wereld waarin Norman leeft – aan lagerwal geraakte aristocratie waar nog steeds mee gepronkt wordt. Het punt is dat Norman niet tot de maatschappelijke bovenlaag behoort, maar eigenlijk alleen op onverantwoord grote voet leeft. (Curieus genoeg zijn Norman en Ellen allebei geobsedeerd door de beau monde – ze vergelijken zichzelf met beroemdheden uit de jaren zestig, zoals Frank Sinatra en Jackie O., en doen alsof ze iets met hen gemeen hebben.)

Norman junior, zoon nummer één, lijkt totaal niet op zijn (onze) vader. Zijn haar is donker en stug en zijn huidskleur in vergelijking met de onze getaand. We drinken ijsthee, eten

89

een salade van ijsbergsla en glazige tomaten en praten over mijn 'familie'. Op een gegeven moment voel ik me net een vrouwelijke, blanke Martin Luther King. Ik krijg de neiging hun handen te pakken en 'We Shall Overcome' te zingen.

Het is inmiddels herfst 1994, het tweede najaar sinds we elkaar kennen, en Norman heeft zijn andere kinderen nog steeds niets over mij verteld.

Hij belt op. 'Hoi, met Norman. Ik dacht, ik bel even, want ik heb nieuws. We hebben ons huis zo goed als zeker verkocht en we verhuizen waarschijnlijk naar Florida. Maar ik wil graag even met je praten, als je kunt. Eh, het is volgende week al, dus bel je me even terug? Dank je, mop. Tot gauw.'

Als hij in Washington is, weet ik tenminste waar hij is. Ik bel terug. Iemand anders neemt op, een jongen, een man – misschien mijn broer, of een neef. 'Wat kan ik voor u doen?' vraagt hij.

'Ik bel later wel terug.'

In 1994 schrijf ik Norman dat ik erg teleurgesteld ben dat hij niet heeft gedaan wat hij heeft beloofd. Ik heb het zwaar genoeg gehad – ik heb te hard moeten werken om te komen waar ik nu ben om geheim te worden gehouden, om iets te zijn waar iemand zich voor geneert.

Norman zegt nooit iets over die brief. Ik lees in een brief van Norman junior hoe hij is ontvangen: 'Oeps, nou vergeet ik nog bijna om je vraag over die brief te beantwoorden...' Hij schrijft dat mijn brief bij vergissing door de jongste zoon van Norman (senior) is geopend, zodat een huiselijke crisis het gevolg was. Norman junior schrijft verder dat hij blij is dat de brief is geopend, dat ook hij die geheimzinnigdoenerij zat was en dat in mijn brief aan mijn vader precies de dingen staan die elk geadopteerd kind onder de gegeven omstandigheden tegen zijn biologische vader zou zeggen. 'Ik zou dezelfde brief hebben geschreven, alleen eerder.'

We drijven uiteen, vreemden voor elkaar.

Midden in de winter belt Ellen: 'Ik denk dat je er goed aan doet je vader te bellen. Volgens mij maakt hij het niet lang meer.' Ze hebben nu meer een band met elkaar dan met mij, de intensiteit van hun belangstelling voor elkaar getuigt van de aantrekkingskracht die ze nog steeds op elkaar uitoefenen.

Ik stuur Norman een briefje; er komt geen antwoord. Ik weet niet of hij dood is of leeft.

Norman junior vraagt me per brief of ik het goedvind dat hij naar een lezing van me in Washington komt. Ik bel hem en zeg dat ik met alle plezier met hem wil afspreken voor een drankje of een lunch, maar dat ik liever niet heb dat hij naar de lezing gaat. Ik hoor nooit meer iets van hem.

Na het zoveelste telefoongesprek vraag ik Ellen of ze niet meer wil bellen. Ik wil graag met haar corresponderen, maar niet meer telefoneren.

'En als ik nou van de dokter hoor dat ik nog maar vierentwintig uur te leven heb – mag ik dan wel bellen?' vraagt ze.

'Wacht vijfentwintig uur en bel me dan,' zeg ik, half als grapje.

Het punt is dat wat de anderen doen niets met mij te maken heeft, wat hun redenen ook zijn om ermee door te gaan. Het gaat nooit over mijn behoeften en verlangens, en voorlopig heb ik er genoeg van.

In december 1997 stuurt ze me een week voor mijn verjaardag een felicitatiekaart. Hij is van een ziekelijk bleekroze met rozen, de kleur van de vrouwelijkheid, van een doos maandverband. Het is inmiddels zo ver gekomen dat ik van mijn verjaardag walg, me angstig afvraag wat die dag me zal brengen.

Lieve dochter,
Ik stuur deze kaart maar op tijd, want ik weet niet of ik er
op 18 december nog zal zijn. Ik word op 4 december in het
Jefferson Hospital opgenomen voor een nieringreep. Hoe
het afloopt weet ik niet. Ik ben er heel bang voor. Ik heb
chronische nierinsufficiëntie. Het Jefferson is in Philadelphia,
Pennsylvania.

Op de kaart – een van de mooiste van Hallmark – staat de voorgedrukte tekst: 'Ik herinner me nog de eerste keer dat ik recht in je gezicht "Ik hou van je" zei (gold niet alleen voor je gezicht). Je was net geboren en ik vond je het allermooiste op de hele wereld. En in jouw kleine gezichtje meende ik de toekomst te kunnen zien. Ook die zag er mooi uit.'

Ik bel Ellen.

'Ik heb alles afgeblazen,' zegt ze, en ze legt uit dat het om een soort diagnostisch nieronderzoek ging en dat ze bang was om alleen te gaan.

Ik weet dat ik nu geacht word aan te bieden om mee te gaan, maar ik doe het niet. Ze vraagt of ik nog wat van mijn vader heb gehoord; nee, zeg ik. Ze zegt dat hij in Florida is en het goed maakt. We praten nog even en dan beëindig ik het gesprek met een smoesje.

Voor haar volgende verjaardag, in april 1998, stuur ik haar bloemen – dat heb ik sinds ze me heeft gevonden elk jaar gedaan. Dit jaar krijg ik geen telefonisch bedankje. Ik bel de bloemist om me ervan te vergewissen dat de bloemen zijn bezorgd. Ik krijg te horen dat Ellen ze heeft teruggestuurd en voor een plant heeft geruild – en dat ze zei dat ik wel zou bellen.

Het is zomer 1998. Ik zit in een huurhuisje op Long Island. Het is vroeg in de avond. Midden in een gesprek met mijn moeder klinkt er een piepje: ze heeft een wisselgesprek. Het blijft een hele tijd stil.

'Nou, hou je vast,' zegt ze als ze de lijn terugneemt. 'Ellen is dood.'

Ik zit met mijn moeder te bellen op het moment dat zij een telefoontje krijgt dat mijn moeder dood is. Dat lijkt een beetje te veel op een zin van Gertrude Stein.

De vrouw die het nieuws bracht, was een vriendin van Ellen. Ik bel haar voor meer informatie. Ze vertelt dat het een nierziekte was. Ellen was in het ziekenhuis voor dialyse, maar is kennelijk tegen het advies van de arts in naar huis gegaan, waar ze 'zieltogend' op haar bank werd gevonden. *Zieltogend*: de ziel tijgt al naar het hiernamaals. Ellens broer werd van haar dood op de hoogte gesteld en liet Ellens lichaam minstens een dag in het mortuarium in Atlantic City liggen, want hij was naar de U.S. Open in Forest Hills.

'Hij speelde toch niet mee, hè?' vraagt een vriendin later.

Hoe kan Ellen nou dood zijn? Het slaat nergens op. Mijn eerste impuls is haar bellen, vragen wat er aan de hand is, om haar dan te horen zeggen: tja, ik moest toch íets doen om je aandacht te trekken.

Ik bel mijn advocaat en vraag hem Norman op de hoogte te stellen. Ik wil hem het nieuws niet zelf overbrengen of getuige zijn van zijn reactie.

De advocaat laat, professioneel als altijd, weten dat Norman 'me bedankt voor het doorgeven van het bericht, vroeg hoe het met mij ging en graag met me wil praten op een moment dat ik daaraan toe ben'.

Ik rijd naar Atlantic City zonder te weten wat me te wachten staat. De begraafplaats is vlak bij het vliegveld; er staat een bakstenen bord voor:

Laurel Memorial Park
De mooiste begraafplaats van Atlantic City
Bel voor meer informatie: ...
Nieuw, algemeen toegankelijk mausoleum
Eenpersoonsgraven
Familiegraven
Urnentuin, nog nissen beschikbaar

Volgens haar vriendin – die de begrafenis helaas niet kan bijwonen – wilde Ellen een joodse begrafenis. Wat ze krijgt, is een dominee van het rouwcentrum in een grijze polyester broek naast een open graf op het goedkope gedeelte van een begraafplaats vlak bij het vliegveld van Atlantic City. Er zijn maar vier zitplaatsen. Haar broer, mijn oom, is er met zijn vrouw. Hij is rimpelig als een pop van maïsbladen en draagt een pak van gestreepte bobbeltjesstof. Ik steek hem mijn hand toe.

'Help me even,' zegt hij, hoewel hij donders goed weet wie ik ben. 'Hoe heet je ook weer?'

Ik vraag of hier nog meer familieleden begraven liggen.

'Nee,' zegt hij.

Ik vertel hem niet dat ik vaak naar zijn huis ben gereden en altijd keerde op zijn oprit, alsof ik even een honk aantikte. En ook niet dat ik vaak voor zijn witte bakstenen huis heb gezeten – dat wondere, welvarende wereldje – en hem zijn kerstboom en zijn basket benijdde. En evenmin dat zijn zus altijd tegen me zei wat een hekel ze aan hem had.

De dominee zegt zijn tekst en ik merk dat ik half wegdroom, overal 'Amen' op zeg en een goede indruk op mijn oom probeer te maken. Het graf is open, afwachtend, de kist staat ernaast, onopgesmukt. Ik besef dat ik min of meer op een patserig bloemstuk van Norman had gerekend, iets in de vorm van een hoefijzer.

Ik stel me voor dat Ellen daarin ligt, in die kist, en alles hoort. Ze weet dat ze dood is, ze weet hoe afschuwelijk het allemaal is – ik denk terug aan haar oneerbiedige gevoelsuitbarstingen, haar gewoonte altijd te zeggen wat er in haar hoofd opkwam. Het is gruwelijk deprimerend, maar toch ben ik blij dat ik er ben, al is het alleen maar als getuige van het leven van deze vrouw, van het einde ervan, zodat het niet onopgemerkt voorbijgaat.

Na de begrafenis koop ik een kaart en rij rond door Atlantic City, ik ga alle adressen op haar brieven in chronologische volgorde af. Ik vind een van de huizen en herinner me een foto die ze met een van haar brieven meestuurde, waarin ze schreef dat ze op een steenworp afstand van de oceaan woonde. Het is een soort déjà vu – ik ben hier eerder geweest. De tocht langs de huizen is een neerwaartse spiraal die eindigt bij een prefab rijtjeshuis aan het eind van een doodlopend stukje straat bij een vuilstort. Op alle plekken maak ik foto's – ik verzamel informatie, plaatjes om te ordenen, om mezelf te troosten.

Bij haar laatste huis groeien tomatenplanten vol rijpende vruchten. Door het keukenraam zie ik dat er binnen nog licht brandt. Ik zie boodschappen op het aanrecht, grote potten met pillen, chocotoffees en maagzuurtabletten. Een inhalator, een paar blikjes eiwitdrank, een aansteker. Het lijkt erop dat hier iemand woont. Ik ga naar de voordeur en bel aan – waarom? Op haar stoep bel ik met mijn mobieltje haar nummer, hoor de telefoon in het huis overgaan; haar antwoordapparaat neemt op – haar stem op het bandje.

Als ik door het raam van de keuken in de huiskamer kijk, zie ik iets groens, een plant versierd met knipperende kerstverlichting, midden in de zomer. Is dit dé plant?

Het treurige is dat ik mezelf tijdens haar leven tegen deze vrouw in bescherming moest nemen, en nu ze dood is sta ik met mijn neus tegen haar keukenraam gedrukt, op zoek naar aanwijzingen.

Hierna ga ik verder op onderzoek uit in Atlantic City – ik stap naar binnen bij Lucy the Elephant, een houten uitspanning van rond de eeuwwisseling met uitzicht op de oceaan; Lucy heeft een raam in haar kont. Ik parkeer de auto en loop een vispier op; de wolken doen wat ik 'voor God spelen' noem, ze splitsen het licht in zichtbare stralen. Ik zie dolfijnen in de verte. Ik beland uiteindelijk in een casino, waar ik kwartjes in gokautomaten gooi. Het wordt laat, en al is alles nog steeds een chaos in mijn hoofd, toch ben ik verder dan ik was voor ik hier kwam.

Een week later verklaart Ellens advocaat annex executeurtestamentair, die zei dat hij een vriend van haar was maar merkwaardig genoeg ook ontbrak op haar begrafenis, zich bereid me in haar huis te laten. Ik huur een auto en neem wat dozen en plastic zakken mee, en twee vriendinnen voor de morele steun.

'Ik weet niet hoe uw band met haar was,' zegt de advocaat

terwijl hij het slot openmaakt, 'maar ik heb niet veel gevonden, alleen wat foto's. Mijn vrouw en ik hebben alles bekeken. Zij is antiquair, en volgens haar zit er niks bij.'

Het huis is geplunderd – er zijn kaarsen maar geen kandelaars, borden maar geen bestek, en de koperen potten en pannen die ik door het keukenraam heb gezien zijn weg. Volgens de advocaat hebben hij en zijn vrouw het een en ander weggehaald om op rommelmarkten te verkopen. Nu alles wat nog enige waarde had weg is, is het huis toch allesbehalve leeg. Ik zie de gehaakte sprei die over de bank lag waarop ze werd gevonden, talloze lelijke gebakschoteltjes, rare plastic poppetjes op speeldoosjes, spullen uit de mislukte schoonheidssalon die ze een paar jaar geleden heeft geopend, kerstversieringen. En een kleine blauwe beautycase, van het soort dat je in een film verwacht, waar Audrey Hepburn of Barbra Streisand mee door de hal van een vliegveld loopt met een kruier met alle zware koffers achter zich aan. De beautycase heeft een ingebouwd cijferslot en is open – duidelijk al door iemand doorzocht. Er zit alleen nog waardeloze rommel in, kruimels van een voorbij leven – oude aangekoekte make-up, haar- en krulspelden, een strip anticonceptiepillen van vele jaren geleden, wat los geld. Zij of iemand die ze kende moet kampioen kleingeld zijn geweest, want je vindt het overal, in alle laden van het buffet. De koffer is haar leven in een notendop – het had me niet verbaasd als ik er stukjes Lego in had gevonden, of stukken van kapot speelgoed. Hij is ooit mooi geweest, maar de toestand waarin hij nu verkeert wekt de indruk dat hij door een kind is gebruikt, een meisje dat een volwassen vrouw speelde. Ik laat hem staan – te heftig, te intiem, alsof ik haar tandenborstel zou meenemen.

Ik loop door het huis en stop op goed geluk dingen in dozen, met in mijn kielzog mijn twee vriendinnen die vragen wat ik wil bewaren, waar naar ik op zoek ben. Ik dwaal rond, doe kastdeuren open en dicht, heb geen idee hoe ik dit alles moet verwerken. Verpletterend, deprimerend – dat is waar haar leven op neerkomt. Vanbinnen voelt het huis vluchtig, alsof de bewoner er maar tijdelijk verkeerde, net zo goed ergens anders had kunnen wonen, als een kraker. Het is er een troep, alsof er een storm doorheen is geraasd, en er valt niet achter te komen of dat door haar komt of dat iemand alles al heeft afgestroopt en geplunderd. Er is niets substantieels – ik bedoel niet niets waardevols, maar niets stevigs, massiefs. Alles voelt alsof het van papier is, alsof het zo zou kunnen verpulveren en vervluchtigen. De advocaat komt een minuut of twintig nadat hij ons heeft binnengelaten naar me toe en vraagt: 'Bent u over een kwartiertje wel klaar, denkt u?'

Mijn ene vriendin neemt hem apart en zegt: 'Hoor eens even, dit is haar moeder, zo dicht is ze nog nooit van haar leven bij haar moeder geweest, dus geef haar even de tijd – als u iets anders te doen hebt, kom dan over een uurtje terug.'

Ik maak overal foto's van, want ik weet dat dit het moment is, de enige en laatste kans, en dat ik zoveel mogelijk moet vastleggen. Ik moet een manier vinden om dit voor later te bewaren omdat ik het op dit moment niet aankan. Ik fotografeer haar slaapkamer en de dingen die er staan – de kast, het hoofdeinde (van koper, maar los van het bed en ver naar voren hellend). Ik fotografeer de spullen op haar dressoir – een doosje pijnstillers, Johnson-babypoeder, parfum, snoep, een porseleinen geisha, een schaaltje met kleingeld en een stapeltje honkbalkaarten! Ik fotografeer de inhoud van de laden van het dressoir – allemaal volgepropt met niet opgevouwen kleren – genoeg ondergoed voor een heel leven. Ik neem foto's van haar badkamer – tweeëndertig Chanel-lippenstiften en tientallen poppetjes, dezelfde die je overal in huis vindt, vijftien centimeter groot en gekleed als koloniale dames, met wijde rokken met ruches en kanten hoedjes, met oranje haar en rare knalrode clownneuzen en circusschmink. Ik fotografeer de achterkant van de badkamerdeur – haar peignoir en een heleboel douchemutsen. Ik fotografeer de andere twee lege slaapkamers, die vol spullen staan die ze kennelijk uit haar vorige huis had meegenomen, kartonnen dozen en boodschappentassen, pakpapier, schoenen nog in de doos. In een hoek van de keuken zie ik een menora en dan, vlak daarachter, een kruisbeeldje, en ervoor een ingelijste foto van een hond. Ik gebruik een stuk of vijf, zes wegwerpcamera's, en als ze vol zijn, leg ik ze in de dozen.

In de voorste kast vind ik een bontstola waarin aan de binnenkant haar initialen in roze schrijfletters zijn ingenaaid. Ik schat dat hij een van haar meest gekoesterde bezittingen was, een cadeau van Norman. Een luxeartikel. Hij moet er heel chic hebben uitgezien toen ze hem kreeg. Nu is hij oud en vaal. Ik laat hem hangen.

Ik neem papiertjes mee, dozen vol papiertjes, waaronder een reçu voor een diamanten ring uit 1963; een oud doosje met anticonceptiepillen, zo te zien, een arrestatiebevel, een pakje van Saks dat van recente datum moet zijn, twee stel rubberachtig 'slankmakend' ondergoed met de prijskaartjes er nog aan, één zwart en één huidkleurig. Welke maat had ze? Een bruine kasjmier trui, precies zo een als de crèmekleurige die Norman me voor Kerstmis stuurde toen we net contact hadden – de roemruchte kasjmier trui. In haar slaapkamer hangt haar broek over een stoel, een zwarte spijkerbroek die wel lijkt op de zwarte spijkerbroek die ik vaak draag. Hij is nog gekreukt van het dragen. Ik steek mijn hand in de zak, voel een prop geld, losse biljetten, een pakje kauwgom. Precies zo bewaar ik mijn geld. Mijn moeder zit me er voortdurend over op de huid: Hoe kun je je geld nou zo bewaren? Niemand bewaart zijn geld zo – heb je het niet liever in een portemonnee? De prop is dik en helemaal onder in de zak geduwd – hoeveel vrouwen van in de zestig bewaren hun geld in een prop in hun zak? Ik krijg er de kriebels van, van al die ongelooflijke biologische details. In haar zakken vind ik dezelfde dingen die ik zelf op zak heb.

Ik blader door een stapel kleren, een wanordelijk huis, op zoek naar informatie, aanwijzingen.

Ik herinner me dat de schrijver James Ellroy me jaren na de dood van zijn moeder vertelde over haar kleren – hoe hij de kleren van zijn vermoorde moeder bij het politiebureau ophaalde. Hij vertelde hoe hij de kleren uit de verzegelde plastic zakken haalde en eraan wilde ruiken, zijn gezicht erin wilde begraven.

Er bestaat een neiging om de vermiste te romantiseren – aan haar denken is haar toelaten. Ik hoor haar stem in mijn hoofd – hoe onbetrouwbaar ze ook was, ze is de enige die me zou kunnen uitleggen wat er is gebeurd.

Als ik wegga, zet ik vier dozen met allerlei papieren in de huurauto. Ik heb geen idee wat ik heb meegenomen, wat eruit voort zou kunnen komen. Ik rijd met mijn twee vriendinnen naar het centrum van Atlantic City en trakteer ze op een etentje in een van de casino's. Ik voel dat ik hun iets verschuldigd ben – zonder hen had ik het niet volgehouden. De omgeving is surrealistisch, een nep-ijspaleis onder water. We zitten schaapachtig naar de langzaam smeltende ijssculpturen van zeedieren om ons heen te kijken. De belichting verandert steeds, groen en paars en blauw – het lijkt wel Jacques Cousteau op sterk water. We bestellen alle drie hetzelfde: biefstuk met gebakken aardappeltjes; we hebben het gevoel dat we een stevig maal nodig hebben om weer met beide benen op de grond te komen. We zijn stil, met stomheid geslagen – wat moet je zeggen na zo'n dag? Uiteindelijk trakteert Ellen ons. Ik betaal met de prop geld uit haar zwarte spijkerbroek, en wat er te veel is laat ik als fooi achter.

Die avond in New York maak ik mijn flat schoon. Als een waanzinnige, een hysterica spit ik alles door, gooi dingen weg – ik heb nog douchemutsen uit alle hotels waar ik ooit heb gelogeerd, zeepjes, shampoo. Ik heb alles wat zij ook had. Ik gooi alles weg. Ik mag niet zoals Ellen zijn – het mag niet allemaal nog een keer gebeuren.

Ik denk aan de bloemen waar zij een plant van had gemaakt, de plant die ik door het keukenraam heb gezien, de plant met de knipperende kerstboomlichtjes, en aan mezelf, een kerstbaby, dat wat ze nooit heeft kunnen vergeten – had ze die lichtjes voor mij aangelaten?

Ik worstel met de vraag hoe ik de verwarring moet beschrijven, het diep ingrijpende verlies van een stuk van mezelf dat ik nooit heb gekend, een stuk waar ik me voor heb afgesloten omdat het zo beangstigend was.

De autobiografie van het onbekende.

Een paar maanden later bel ik Norman. 'Ik bel je zo meteen terug,' zegt hij. Het is de eerste keer sinds Ellens dood dat we elkaar spreken. Hij vertelt dat hij Ellen kort voor ze stierf nog in Washington heeft ontmoet. Ik heb geen idee of dat de eerste keer in bijna veertig jaar was dat ze elkaar zagen of dat ze elkaar regelmatig hebben ontmoet sinds ze ieder apart met mij waren herenigd. Hij zegt dat hij wist dat ze ziek was. De dokter had gezegd dat ze een donornier nodig had, en volgens Norman wilde Ellen dat hij mij daarom zou vragen. Hij was onvermurwbaar; zij vroeg het hem en hij zei nee. Hij zei tegen haar dat ze mij onmogelijk om een gunst konden vragen, aangezien ze geen van beiden ooit ook maar iets voor mij hadden gedaan. Hij vertelt dat hij haar zijn eigen nier heeft aangeboden – dat hij zijn dokter heeft gebeld om te vragen of het kon. Dat hij die dokter heeft gebeld geloof ik, maar de rest lijkt me onwaarschijnlijk. We praten met elkaar via zijn autotelefoon omdat hij me niet thuis durft te bellen, maar ik moet wel geloven dat hij bereid was Ellen een nier af te staan – zou hij het zijn vrouw, zijn kinderen hebben verteld? Ik denk dat Norman in eerste instantie weigerde toen Ellen het hem vroeg, vervolgens beloofde het mij te vragen en later tegen haar heeft gezegd dat ik het niet wilde. Dat zou veel verklaren. Het zou verklaren waarom ik niets meer van haar heb gehoord voor ze stierf.

Als ik met Norman praat, raak ik geëmotioneerd en denk: o god, ik doe hem aan háár denken. Ik zeg tegen Norman dat ik het zat ben, dat ik dit niet nog een keer wil meemaken, dat ik straks geen telefoontje wil krijgen waarin ik weer naar een kerk word ontboden waar ik achterin moet staan, als ongewenste gast, en er getuige van moet zijn hoe vrienden en familieleden rouwen om een man die ik nooit echt heb gekend maar die toch op de een of andere manier bij me hoort.

'Ik begrijp het,' zegt hij. 'Bel mij dan. Bel me in de auto. Mijn vrouw zit niet vaak in de auto. Dan kunnen we praten.'

'Ik ben je minnares niet,' zeg ik. 'Ik ben je dochter. En ik ga je niet in je auto bellen.'

'Oké dan,' zegt hij.

Deel 2

Ellen Ballman

Mijn moeder uitpakken

Het duurt zeven jaar voordat ik de dozen kan openmaken die ik uit Ellens huis heb meegenomen. Het is 2005 en ik ben nog geen stap verder, ik vraag me nog steeds af wat er precies is gebeurd.

'Zieltogend op de bank' – wat betekende dat? Halfdood, helemaal dood, hard op weg om dood te gaan? Wist ze dat er iemand onderweg was naar haar toe? Hoopte ze dat ze zou worden gered? Hoe kan iemand zestig jaar leven en zo eenzaam eindigen? Ik kijk de weinige papieren door die ik heb – op haar overlijdensakte staat dat ze om drie uur 's nachts op de afdeling spoedeisende hulp van het ziekenhuis is gestorven. Wie heeft de ambulance gebeld? Hoe lang heeft ze op de eerste hulp gelegen? Ze moet nog even geleefd hebben toen ze aankwam, anders zou het hokje 'Reeds overleden bij aankomst' zijn aangevinkt. Ik overweeg de alarmcentrale in Atlantic City te bellen en om een afschrift te vragen. En waarom heb ik in mijn hoofd dat ze zou zijn gevonden door een Chinese-maaltijdbezorger?

Het is zeven jaar geleden, maar het staat me nog zo helder voor de geest alsof het net gebeurd is. Zo gaat dat blijkbaar met een trauma – het verandert niet, verzacht niet, vervaagt niet, gaat niet over in iets minder scherps en gevaarlijks.

Nog steeds heb ik de neiging Ellen te bellen en te vragen

waar die hele toestand op sloeg. Heeft ze zelfmoord ge-
pleegd? Min of meer. Ze besloot tegen het advies van de arts
in het ziekenhuis te verlaten en thuis alleen op haar bank te
sterven. Haar angst voor de angst, haar afkeer van artsen, de
tobberigheid die daaraan ten grondslag lag, hebben zeker
hun steentje bijgedragen.

Ik denk terug aan de kaart voor mijn verjaardag: 'Ik stuur
deze kaart maar op tijd, want ik weet niet of ik er op 18 december nog zal zijn. Ik word op 4 december in het Jefferson
Hospital opgenomen voor een nieringreep. Hoe het afloopt
weet ik niet.'

Ik belde Ellen, half geïrriteerd, half bezorgd.

'Ik heb alles afgeblazen,' zei ze.

Ik heb nooit begrepen waar die ingreep voor nodig was; ik
heb alleen iets gehoord over de bloedtoevoer naar een nier en
dat ze bij een heleboel artsen was geweest – waaronder één
in Atlantic City die haar naar iemand in Philadelphia had gestuurd – maar ze was bang om van onderen aan zich te laten
prutsen, om alleen in het ziekenhuis te zijn, en ik wist dat ik
geacht werd te zeggen dat ik wel voor haar zou komen zorgen.

Ergens denk ik dat ik haar wel zou hebben geholpen als ze
het me maar 'op de goede manier' gevraagd had, en ik erger
me aan mezelf. Wat maakt het uit hoe ze het probeerde te vragen? Ze was bang en had waarschijnlijk nooit veel succes gehad als ze om iets vroeg – waarschijnlijk voor een deel omdat
ze niet wist hoe ze zoiets moest inkleden. Zodoende bereikte
ze altijd precies het omgekeerde van wat ze wilde: ze schrikte
mensen af.

En het welhaast bijbelse verband met die nier kan me onmogelijk ontgaan – ik ben door mijn ouders geadopteerd

omdat Bruce, de zoon van mijn moeder, aan een nierziekte was gestorven. Is het mijn schuld dat ze dood is? Werd er van mij verwacht dat ik een nier afstond? Vlak na haar dood belde ik haar arts in Atlantic City; na haar dood was ik wat ik bij haar leven niet voor haar kon zijn. 'U spreekt met de dochter van Ellen Ballman, ik wou graag wat informatie.' Ik zweeg, wachtte tot hij zou zeggen: 'Ellen Ballman was ongetrouwd en had geen kinderen. Wie bent u eigenlijk?'

'Met een transplantatie was ze te redden geweest,' zegt hij op neutrale toon. Niets in zijn stem suggereert dat ik de donor had moeten zijn. Ongevraagd voegde hij eraan toe dat de nier die ze nodig had niet per se van mij had hoeven komen. Hadden ze het erover gehad – wisten ze daar *wie ik was*? Had hij haar gevraagd of ze een gezin had?

'Ik weet niet waarom ze op eigen houtje het ziekenhuis verliet. Ik weet niet wat ze zich erbij voorstelde. Haar kwaal was behandelbaar – ze had nog in leven kunnen zijn.'

Na haar dood schreef ik brieven: aan de paar vrienden wier namen ik van haar advocaat had gekregen, aan de vriendin die belde toen ze was gestorven, aan haar nicht in Californië, enzovoort. In die brieven legde ik uit wie ik was en dat ik graag meer over Ellen zou willen weten – herinneringen, belevenissen, wat ze maar kwijt wilden. Ik postte de brieven en er gebeurde niets. De enige van wie ik wat hoorde was Ellens Poolse schoonmaakster – die geen Engels sprak. De vrouw bij wie ze dinsdags werkte belde me op en ze spraken met z'n tweeën een bericht op mijn antwoordapparaat in. Een uit het Pools vertaald bericht, mij overgebracht via haar dinsdagse werkgeefster: de schoonmaakster was er kapot van, ze was dol op Ellen en had er geen idee van gehad dat ze zo ziek was. De schoonmaakster was net naar Polen geweest, op familiebezoek: 'Ze is weggeweest, maar nu is ze weer terug.' Ik mocht haar altijd bellen. Of langskomen. Ze wenste me alle goeds. Ook de dinsdagse werkgeefster had me haar naam en telefoonnummer gegeven – 'bel me gerust,' zei ze. Ik kon me er niet toe zetten.

Ligt het in de menselijke aard om te vluchten voor gevaar? Maar waarom moest ik dan zo menselijk zijn? Waarom was ik hier niet beter voor toegerust, waarom kon ik geen betere biologische dochter zijn? Waarom had ik niet de kracht en het inzicht om mezelf te beschermen én iets te geven? Ik ben tekortgeschoten – ik was zo druk bezig mezelf tegen haar te beschermen dat ik onvoldoende tot me heb laten doordringen hoe erg ze eraan toe was. Ik verwachtte van haar dat ze vroeg om wat ze nodig had op een manier die ík passend achtte. Ik was niet in staat haar egocentrisme in het juiste perspectief te zien, te onderkennen dat die vrouw ontzettend veel pijn had, te ontsnappen aan mezelf, mijn eigen behoeften, mijn eigen gevangen verlangens. Wat maakt het uit hoe ze het vroeg? Ik had iets moeten geven. Zelfs al wilde ik niets geven. En wie beschermde ik eigenlijk – bescherm je jezelf als je je helemaal voor iets afsluit?

De mensen vertellen me hoe ik me moet voelen. 'Je zult wel opgelucht zijn,' zeggen ze. 'Je zult wel in de war zijn.' 'Je zult wel een dubbel gevoel hebben.'

Ik ben tekortgeschoten. Ik heb geen aandacht geschonken aan die laatste brieven, aan ons laatste gesprek. Die keer dat ze belde en zei: 'Ik denk dat je er goed aan doet je vader te bellen. Volgens mij maakt hij het niet lang meer.'

Het idee dat ze mij belde over hem, dat die twee een relatie hadden die ook buiten mij om bestond, maakte me razend.

En ook dat hij mijn vader was en me dat had laten bewijzen, alleen maar om vervolgens niet meer met me te praten, en dat ik hem nu gauw moest bellen omdat hij het niet lang meer zou maken – dat die twee mensen die zo plotseling waren opgedoken misschien wel even plotseling zouden verdwijnen, dat kon ik gewoon niet aan.

Mijn moeder is dood. Mijn moeder die belde om me te vertellen dat mijn moeder dood was... Ziedaar de valse noot, de gespletenheid, de onmogelijkheid om twee levens tegelijk te leiden.

Jom Kipoer, herfst 1998. Ik ben in Saratoga Springs, New York, in Yaddo, een kunstenaarskolonie. Het is nog maar een paar weken na de begrafenis. Ik ga naar diensten in de plaatselijke synagoge. Ik zit alleen tussen vreemden, op een plek waar ik veilig ben voor verdriet, en voor mij is dit de herdenkingsdienst – 'Opdat hij niet vergete'. Een onderdeel van de Jom Kipoerdienst is de *jizkor*, een gebed waarbij de namen van alle familieleden van gemeenteleden worden voorgelezen die dat jaar zijn overleden. Ik voeg haar naam toe aan die lijst. De namen worden luidop voorgelezen. Er klinken andere namen voor en na de hare. Haar naam wordt afgeroepen, wordt gehoord – gelijkwaardig aan de andere, niet alleen. Haar naam wordt hardop uitgesproken, aan iedereen meegedeeld. Ik zie andere mensen huilen en ik weet dat ik iets heb gedaan, haar iets heb gegeven waar ze naar verlangde: erkend worden, gezien worden. Dit is haar joodse begrafenis. Ik houd in een sjoel vol onbekenden een herdenkingsdienst voor een moeder die ik nooit heb gekend. We omhelzen de geschiedenis, het verdriet en alles wat is gekomen en gegaan, en ik ben aangedaner dan ik ooit eerder door iets ben geweest.

Ik denk weer aan Atlantic City, hoe ik daar de pier op liep en de wolken openbraken en banen regenboogkeurig namiddaglicht omlaag kwamen stromen. Ik denk aan die keer dat ik haar rozenblaadjes uit de tuin in Yaddo stuurde. Ik denk eraan dat ze altijd álles wilde, dat ze onverzadigbaar was. Ik ben blij dat ik daar ben, alleen tussen vreemden. Ik huil de hele dienst. Ik huil niet alleen om haar, maar om mezelf, om alle ongelukken die er onlosmakelijk bij horen, om ieders tekortschieten op elk gebied, om de vervloekte breekbaarheid van het mens-zijn, om angst, schaamte. Dit is mijn verzoendag; ik belijd mijn zonden, sla op mijn borst, vraag om vergeving voor wat ik heb gezegd en voor wat ik niet heb gezegd, voor wat ik heb gedaan en voor wat ik niet heb gedaan, voor iedereen die ik bewust of onbewust heb gekwetst of beledigd, voor alles wat ik ten onrechte heb nagelaten – deze schuldbekentenis staat in de joodse leer bekend als de *vidoej*. Ik huil omdat ik zo eenzaam ben, zo alleen, en omdat ik op deze manier door het leven moet.

Heb ik ooit verteld hoe precair mijn positie voor mijn gevoel is – op het randje van de wereld, alsof mijn vergunning elk moment kan worden ingetrokken?

De dozen. Ik kom thuis uit Yaddo en de dozen staan in mijn flat op me te wachten, begroeten me, herinneren me aan datgene wat ik niet kan vergeten. Ik kan ze niet openmaken. Ik ben bang voor ze, alsof er iets in zit dat me zou kunnen schaden. Als ik de tape eraf pulk, komt er misschien wel een schadelijke bacterie vrij, als ik ze aanraak word ik misschien op de een of andere manier met háár besmet. Ik leef ermee als met meubels, zorg dat ik er niet tegenaan bots, dat niets waar ik om geef ermee in contact komt, en uiteindelijk, meer dan negen maanden later, sla ik ze ergens op. Ik verban de dozen naar de onderwereld van de opslagloodsen – voordat ze erheen gaan, schrijf ik er met markeerstift netjes aan alle kanten WIJLEN ELLEN 1 t/m 4 op. Zij heeft mij ter adoptie afgestaan – nu stuur ik haar naar een opslagloods. Ze gaat er mijn belastingpapieren, mijn platenverzameling, mijn matrixprinter en mijn oude schrijfmachine gezelschap houden, wordt een deel van mijn leven dat ik niet helemaal weg wil doen, maar wel het liefst uit het zicht zet.

Wat is de halfwaardetijd van een radioactieve doos? En wanneer ben ik zover dat ik erin kan kijken – neemt het verwarrend en schokkend vermogen met de tijd af?

In het voorjaar van 2005 neem ik me voor om eens en voor al met Wijlen Ellen af te rekenen. Ik haal de dozen uit hun voorgeborchte en breng ze weer naar mijn flat. Ze zijn in de loop van de tijd gerijpt; ze hebben een luchtje gekregen – actieve ontbinding. En weer staan ze te staan, gaan ze bij het meubilair horen. Ik zet er van alles op: koffers, boeken, zware dingen. Verkapte manieren om ze dicht te houden.

In het voorjaar van 2005, twaalf jaar nadat ze me heeft gevonden, neem ik de dozen een weekend mee naar Long Island – alleen ik met die vier golfkartonnen dozen van Wijlen Ellen. Ik neem de dozen mee naar hetzelfde huisje waar ik in de tuin aan de telefoon van mijn moeder hoorde dat mijn moeder dood was. Dat huisje, dat we toen huurden, is nu mijn eigendom – een stukje van wat men 'thuis' noemt. Ik neem vier dozen mee naar het huisje op Long Island, een veilige, overzichtelijke plek – waar ik ze als een explosievendeskundige onschadelijk wil maken. Ik zet ze op de keukentafel – de tafel van mijn grootmoeder. Nu kan ik er niet meer onderuit, ik kan er niet meer omheen.

Ik vraag de rest van de familie thuis te blijven. Ik kan dit niet met publiek erbij, ik moet alleen zijn, ik moet rustig kunnen gaan zitten met wat ik aantref. Ik wil niet hoeven uitleggen wat niet uit te leggen valt en wat ik in dit boek natuurlijk juist wel probeer uit te leggen. Ik ga voor de dozen zitten, klaar om de inventaris op te maken, met bonkend hart, als een kind dat in de tas van zijn moeder rommelt, en dan voel ik ook het gewicht dat op mijn schouders rust: ik ben de rentmeester, de hoedster van wat er nog over is, en ik mag haar dan bij leven niet hebben gekend, maar misschien kan ik haar in de dood nader komen. Bestaat er zoiets als postume intimiteit? Zal ik haar in die dozen vinden, zal ik haar beter kennen als ik klaar ben? Ergens wou ik dat ik meer had meegenomen – als ik tien dozen had meegenomen, zou er misschien meer zijn, en niet alleen maar meer van hetzelfde.

Doos 1 – bovenop ligt bladmuziek. 'Hail to the Redskins'. Ik weet eigenlijk niet waarom ik zo verrast was dat ik dat als eerste aantrof – omdat mijn biologische vader in de nationale competitie speelde, of omdat ik me maar al te makkelijk kon voorstellen hoe zij samen naar Redskins-wedstrijden gingen terwijl zijn vrouw thuis bij de kinderen zat? Maar het was vooral interessant in het licht van andere dingen die ik had ontdekt: Ellen werd in 1971 gearresteerd wegens gokken – ze had een speeltafel in het Sheraton Park Hotel georganiseerd en nam weddenschappen aan tijdens een wedstrijd tussen de Cowboys en de Redskins – en mijn vader had een rechtszaak wegens trustvorming aangespannen tegen de Redskins en het bestuur van het prof-football omdat hij op moeilijkheden was gestuit toen hij een nieuw footballteam naar de stad wilde halen. Bij het zien van de bladmuziek zie ik mezelf weer op mijn dertiende, met beugel, in mijn kamer in mijn ouderlijk huis in Chevy Chase, naast mijn klarinetleraar, meneer

Schreiber, toeterend, snerpend en telkens aan het rietje van mijn huurklarinet likkend in mijn verwoede pogingen het stukje goed te spelen. Meneer Schreiber was de dirigent van de band van de Redskins en marcheerde in de rust verkleed als indianenopperhoofd altijd voor zijn muzikanten uit het veld op, met een lange hoofdtooi op zijn dikke witte haar.

Onder het vel bladmuziek ligt een imitatieleren map met foto's. Instinctief haal ik diep adem – ik zet me schrap – krijg dan een hoestbui van het stof en moet iets te drinken halen. De foto's zijn het werk van Harris & Ewing – de grootste fotostudio van Washington, die presidenten en leden van de high society heeft vereeuwigd – en kennelijk zijn er jeugdfoto's van mijn moeder bij. Op de eerste twee portretten is ze een maand of vier – op het ene kijkt ze ernstig, op het andere lacht ze – en dan is ze een jaar of twee, met een wit jurkje, een grote strik in haar haar en witte veterschoentjes, broos en blij – ook daar weer, altijd, opzij kijkend. En dan iets ouder, drie, vier jaar, poserend met een mooie grote dalmatiër. Ook foto's van haar in lederhosen en met een schortje, misschien tijdens dezelfde sessie gemaakt. Ze hebben een bijna tastbare sfeer van 'papa's meiske' – duivelse lichtjes in haar ogen, innemend, verlegen en tegelijk uitdagend – en ik krijg het vreemde idee dat ze meer weet dan ze eigenlijk kan begrijpen. Ze is geen kleuter, maar een meisje, en ook hier zie je voortdurend iets onzekers, en ook een behoefte aan bevestiging – je ziet het allemaal. En het heeft een vage vertrouwdheid, een onontkoombare, onbenoembare verwantschap – we lijken uiterlijk niet echt op elkaar, maar we hebben toch iets gemeen. Een bepaalde gelijkenis in de armen, de wangen en de ogen – we hebben dezelfde ogen.

Daar is een portretfoto van Harris & Ewing van Ellens moeder – koel, fris, koud en trots, misschien vooral op zichzelf. Het bestaan van die foto's wijst op een zekere welstand. In de vroege jaren veertig liet de gewone man zichzelf en zijn kinderen niet fotograferen. Het doet me ook denken aan iets wat Ellen een keer tegen me zei: 'Vind je het leuk om een keer een portret van ons tweeën te laten schilderen?' Toen ze dat zei, leken het woorden uit een andere wereld. Is er ooit een portret van haar geschilderd? Of was het een belofte die nooit is ingelost? Dan nog een foto op een schip, door iemand anders gemaakt, van Ellens moeder en een andere vrouw, waarschijnlijk de moeder van haar moeder, Mary Hannan – ergens in de jaren dertig. En nog een van Mary Hannan, lang geleden – een jonge, jeugdige, mooie vrouw.

Tussen de bladzijden zitten losse kiekjes – Ellen spelend op het strand, met haar broer ergens op de achtergrond. Iemand die waarschijnlijk haar vader is, met haar broer in de achtertuin van hun huis. En dan een zeven- of achtjarige Ellen voor hun huis met haar broer in zijn militaire schooluniform, met gebalde vuisten langs zijn zij – hun moeder, die de foto heeft gemaakt, is als schaduw aanwezig, een donker silhouet op de stoep – hun vader is er dan al niet meer. En daar zit Ellen op de bank naast haar moeder – een mollige puber, hartverscheurend ongemakkelijk in haar vel. Bevroren beelden uit hun gezinsleven; documenten, gemaakt om als bewijs en herinnering te dienen als er niemand meer is om het het verhaal te vertellen.

Er vallen dingen uit de map – tientallen ongeopende enveloppen met rekeningen, met gele stickers van het postkantoor erop: *Stel afzender op de hoogte van adreswijziging.* Haar leven was voortdurend in beweging, een neerwaartse spiraal, een ademloze vlucht om zichzelf tenminste één stap voor te blijven. Er vallen enveloppen op de grond – 530 dollar betalingsachterstand bij een verzekeringsmaatschappij, een aanmaning van een deurwaarder voor 13.043,75 dollar aan achterstallige belastingen. Een stapeltje juridische papieren met betrekking tot een heropende rechtszaak, aangespannen door een gezin namens de kinderen, om schadevergoeding vanwege vergiftiging door loodhoudende verf in gebouwen die het eigendom waren van en beheerd werden door gedaagden – vooral en met name *Ellen Ballman*.

Er is ook een brief bij van Security National Bank: 'Hierbij delen wij u mede dat wij uw rekening met ingang van 15 dagen na dagtekening dezes opheffen aangezien u in gebreke bent gebleven.' Een energierekening van meer dan tienduizend dollar. Een envelop met een catalogus van de herfstcollectie vrijetijdskleding uit 1995 van Mark, Fore & Strike. Er stijgt een scherpe lucht uit de doos op – een vleugje mottenballen, een tikje hamsterkooi, astmatisch en in elk geval zuur. Ik vind een brief van 6 juni 1984 van Publieke Werken van Maryland, een klacht wegens overlast van een braakliggend stuk bouwgrond met hoog opschietend onkruid en doornstruiken, lege flessen, blikjes en ander zwerfvuil; er zou ook een rat zijn gesignaleerd. Het adres is Langedrum Lane 4709, Chevy Chase, Maryland. Dat is een paar kilometer van de straat waar ik ben opgegroeid – het stond daar niet bekend als een buurt met ratten. Ik vind een opzegging van een verzekeringspolis en een klacht over exorbitant hoge huren voor een perceel aan Seventh Street in Washington.

Onder de foto's en ook in de andere dozen kom ik overal kattebelletjes tegen, rijmpjes, met pen of potlood op kleine papiertjes neergekrabbeld en altijd ondertekend met 'JC' (Jack). Wat was hij van haar – een minnaar, een oude vriend, een vriend van haar vader? Bij mijn naspeuringen heb ik ontdekt dat hij meer dan eens is gearresteerd wegens gokken, dat hij een stomerij bezat en dat hij later naar Atlantic City is verhuisd. En ik weet hoe verdrietig Ellen was toen hij ziek werd en stierf. Waar kenden ze elkaar van? Hij had een vrouw, Katherine – ik zie haar naam op sommige documenten en ik vind een kaart van haar aan Ellen. Hij gaf duidelijk veel om Ellen – hij heeft me eens geschreven om te bevestigen dat Ellens verhalen over haar moeder waar waren.

De dozen lijken wel een papieren versie van *Dit is uw leven*. In eentje zit een kleinere doos waar 'Grote slaapkamer' op staat. Ik pulk het broos geworden doorzichtige plakband eraf. Er zit een open metalen archiefbak in – in alle vakjes een bruine map en in iedere map ellende, letterlijk een bak vol ellende. Hij zit helemaal vol met dossiers van misgelopen onroerend-goedtransacties, gekochte en weer verkochte percelen, tweede hypotheken, verzoeken om rechterlijke uitspraken, verweer, verklaringen. Verzoeken om toestemming zich terug te trekken als vertegenwoordiger van eiser en van gedaagde. Er zit werkelijk niets positiefs bij. Achterin zit een oud telefoonmemoblok met doorslagen. *Rudy op werk bellen. Mw. Watson – belangrijk. Betr. Rose, bevestiging over vrouw vorige week verzonden. Voor Alex: kan Lackey vandaag om 3 uur komen?* Allemaal van jaren geleden, maar ik krijg zin om die mensen terug te bellen. Dag, kunt u me iets over Ellen Ballman vertellen? Waar kent u haar van? Was ze aardig? Was ze eerlijk? Was ze een goed mens? En dan vind ik nog een map met een briefje erbij: *Neem hierover alsjeblieft contact op met Ellen! Ze zeurt me de kop gek. Wat wil ze nou, behalve dat ik het onder je aandacht breng?!!* Ik vind ook een briefje waarop iemand heeft gekrabbeld: 'Ter oriëntatie' en een aantekening die ik ontcijfer als 'E.B. 300

uur per 8-8-89'. (Ik neem aan dat het betekent dat ze er op dat
moment driehonderd uur taakstraf op heeft zitten, maar ik
kan me vergissen – misschien moest ze er nog driehonderd.)
Het zit bij een document met de volgende tekst:

```
                ARRONDISSEMENTSRECHTBANK
                   MONTGOMERY COUNTY
                        MARYLAND
                  Dossier nr. *****

Op het verzoek van beklaagde om wijziging
van het vonnis of strafvermindering, waar-
bij de Staat zich heeft geconformeerd aan
het vonnis van het Hof, en bevestiging heeft
ontvangen dat ... zich de gehele voorge-
schreven periode aan de voorwaarden van haar
proeftijd heeft gehouden, GELAST dit hof
dat de schuldigverklaring van de beklaag-
de in dezen NIETIG WORDT VERKLAARD, dat de
beschikking omtrent de proeftijd zoals be-
doeld onder artikel 27, lid 641 wordt inge-
schreven, en voorts dat het toezicht wordt
BEËINDIGD, dat de zaak wordt gesloten, en
dat de hoorzitting van 5 augustus 1989 geen
doorgang zal vinden.
```

Ik geloof niet dat dit over Ellen ging. Ik denk dat het over de
vrouw ging die samen met haar werd veroordeeld en dat het
document Ellen is toegestuurd om haar te waarschuwen dat
ze haar taakstraf af moest maken. Merkwaardig genoeg was
de vrouw die samen met haar werd veroordeeld dezelfde die

mijn moeder belde om haar – ons – te laten weten dat Ellen was overleden.

Er zijn ook doktersrecepten bij. Ik noteer de namen van de medicijnen en neem me voor ze op te zoeken. Meprobamaat, een middel tegen angststoornissen dat niet te lang mag worden gebruikt. Tenormin, een bètablokker tegen hoge bloeddruk en angina pectoris, die ook na een hartaanval wordt voorgeschreven om de overlevingskans van de patiënt te vergroten. Dyazide, een diureticum dat de kaliumuitscheiding niet verhoogt, en thiazide, ook een diureticum, tegen hoge bloeddruk en zwellingen ten gevolge van vochtophoping. Krachtige pijnstillers. Premarin – een oestrogeenpreparaat om overgangsklachten te verlichten. Imipramine, een tricyclisch antidepressivum tegen ernstige depressie.

Alleen van het bekijken van die lijst krijg ik het al benauwd. Misschien is haar vader toch aan een hartaanval overleden – haar grootvader van moederskant is niet ouder dan drieën-vijftig geworden. Wat ze ook had, haar emotionele toestand moet het wel hebben verergerd – had ze hoge bloeddruk, een hartkwaal? 'Het kwam door al die rottige vermageringspillen,' zei mijn vader. 'Wat ze ook tegen haar zeiden, ze bleef maar vermageringspillen slikken.' Ze was depressief, had angststoornissen; toen ze eigenmachtig uit het ziekenhuis vertrok was ze stervende, maar ze had gered kunnen worden.

Is dit een schok? Niet echt. Een van de eerste dingen die ik over mijn moeder wist, hoorde ik van de privédetective – die interessant genoeg zelf geadopteerd was, maar nooit naar haar biologische ouders had gezocht – ze had gezegd: 'Het komt er in het kort op neer dat ze in staat van beschuldiging is gesteld en de stad uit is gejaagd.' Ik begreep toen niet precies wat ze bedoelde, maar nu wordt het me duidelijk. Ik vind artikelen over Ellen in *The Washington Post* – verhalen over haar praktijken: samen met een vriendin vervalste ze papieren – inkomstenverklaringen en belastingaangiften – zodat haar klanten zonder het zelf te weten in aanmerking kwamen voor veel hogere leningen dan ze normaal hadden kunnen krijgen. In de rechtszaal gaf ze toe dat ze papieren had vervalst voor hypotheken ter hoogte van tientallen miljoenen dollars, en ze werd veroordeeld tot een voorwaardelijke gevangenisstraf van achttien maanden met een proeftijd van drie jaar en een taakstraf van vijfhonderd uur.

Wat me wel verbaasde was dat het allemaal zo lang was doorgegaan. De arrestatie en de veroordeling waren alleen de laatste fase. Niet alles wat ze deed was illegaal, maar zelfs het legale gebeurde nog op de ingewikkeldst denkbare manier – het ging allemaal zo onhandig. Had ze die dingen gepland? Smeedde ze voortdurend achterbakse plannetjes? Had ze een pathologische behoefte om deals te sluiten, op een bepaalde manier zaken te doen? Of wist ze gewoon niet hoe het wél moest? Het lijkt wel alsof het tegen haar natuur indruiste om iets te doen zoals het hoorde. Soms denk ik dat ze een soort Robin Hood was en dat het wel goed zat, en dan denk ik weer van niet. De mogelijkheid dat het pathologisch was maakt me nieuwsgierig naar haar vader. Ik schrijf de FBI aan: onder verwijzing naar de wet op de openbaarheid van bestuur vraag ik inzage in zijn dossier, maar dat blijkt in 1971 te zijn vernietigd omdat er een regel is dat dossiers maar een bepaalde tijd worden bewaard. Toch bevestigt dat iets: er is dus inderdaad een dossier over hem geweest.

Mijn moeder als een soort Bonnie en Clyde – voortdurend

op de vlucht, maar dan een eenzame Bonnie, altijd op zoek naar haar Clyde, altijd op zoek naar haar vader. En net zoals je je zorgen kunt maken over een genetische predispositie voor hartfalen, zo maak ik me zorgen over een genetische predispositie voor gokken, voor ontsporing op middelbare leeftijd. Zal ik me straks plotseling als crimineel ontpoppen? En ik denk aan de vader – die heeft op middelbare leeftijd ook een crisis in zijn loopbaan gehad, weliswaar niet crimineel, maar ook zeker niet fraai. De bank waarvan hij directeur was ging failliet, grotendeels door het wanbeheer van vrindjes die elkaar de hand boven het hoofd hielden – ze verstrekten liever leningen aan hoge functionarissen, directeuren en hun familie dan hun verantwoordelijkheden tegenover de klanten na te komen. Ik vraag me af of ze het gevoel hadden dat ze boven de regels stonden die hen hadden samengebracht. Beraamden ze samen hun sluwe plannetjes? Hadden ze plezier in hun eigen streken? Dachten ze dat ze overal mee weg zouden komen? Ik stel me Ellen op middelbare leeftijd voor – een vrouw met lichamelijke en emotionele problemen, die zo goed en kwaad als het gaat haar eigen boontjes dopt, in haar eentje, in een postmoderne versie van het Atlantic City uit de briljante film van Louis Malle uit 1981.

En dan, bijna achteraf, vind ik een ongeopende brief van het Joodse Tehuis van Groot-Washington in Rockville, Maryland, van 29 maart 1989. Ik maak hem open. 'Woorden schieten tekort om mijn waardering voor uw bijzonder gulle gift aan ons Tehuis uit te drukken. De computers zullen ons in staat stellen ons werk efficiënter te doen, en dat zal onze bewoners uiteindelijk ten goede komen.' Er wordt melding gemaakt van een donatie van vier computers, vijf beeldschermen, vijf toetsenborden en een printer. Ik vraag me af of dit een Robin Hood-moment was – des te intrigerender omdat de brief nooit was geopend.

Er zijn geen foto's van toen ze zeventien was – toen mijn vader haar ten huwelijk had gevraagd. Geen foto's van toen ze tweeëntwintig was en mij verwachtte, geen foto's van haar in het ziekenhuis – met mij in haar armen, me aankledend voor mijn 'thuiskomst'. Bestaan daar wel foto's van, zaten die in een andere doos, die ik niet heb gevonden? Hoe kleedde ze zich in de jaren vijftig, toen ze bij mijn vader in de Princess Shop werkte? Het was tenslotte de tijd van de grote Franse couturiers – de 'A-lijn' van Dior, het rechte jurkje van Givenchy, het vierkante Chaneljasje, de *swagger*, ideaal om een zwangerschap in te verhullen. Hield ze van de nieuwe 'moderne' stoffen, nylon, crimplene en orlon? Droeg ze puntbeha's of corseletten? Was ze het soort tiener dat zich volwassen kleedt of droeg ze wijde rokken en sokjes en ging ze naar drive-inbioscopen? Wat dacht ze allemaal? Het was de tijd van de angst voor de Bom, van Perry Como, Dean Martin, Connie Francis en de suikerspin. De tijd van schuilkelders en sirenes, de executie van de Rosenbergs en de hoorzittingen van McCarthy. Washington in de jaren vijftig – de bloeitijd van mijn moeder.

Ik had gehoopt haar in de dozen te vinden, een beschrijving van haar kinderjaren aan te treffen, de spelletjes die ze deed, aanwijzingen over de moeizame relatie met haar moeder en wat ze werkelijk over haar vader wist, haar herinneringen, kinderspulletjes die ze had bewaard als talisman om haar te leiden en te beschermen. Ik had gehoopt te ontdekken hoe ze zichzelf zag, wat ze had gedroomd en gehoopt. Ik wilde haar geheimen weten.

Ik neem de lege dozen mee naar de stort, breek ze doormidden en gooi ze in de papierbak – ik stuur Wijlen Ellen nog een keer weg. Misschien komt ze in de vorm van servetjes of papier of een boodschappentasje weer terug. Ik smijt de oude metalen archiefbak in een andere afvalbak. Hij landt met een knal, het geluid explodeert als een granaat – iedereen kijkt om. Ik haal mijn schouders op. Ik gooi de oude brieven weg, de vodjes papier, de ditjes en datjes, en bewaar een doos vol – een doos als herinnering. Die zet ik in de auto en ik rij ermee terug naar New York, waar hij in een hoek van mijn flat staat te wachten totdat ik hem weer naar de opslag stuur.

Het is 2005 en ik kan alleen maar denken dat deze vrouw, die zich zo druk maakte om uiterlijkheden, niet zo in de herinnering zou willen voortleven, zo zou een vrouw met tweeendertig Chanel-lipsticks zich niet willen presenteren – maar toch: dit is ze, en dit is haar nalatenschap.

Ik stel me mijn moeder voor.

Ik denk aan mijn moeder en stel me een jonge vrouw voor die op meer had gehoopt. Ik denk aan mijn moeder en probeer me in haar ervaringen in te leven.

In de jaren vijftig droegen dames nog hoed en handschoenen, en heren een overjas. Jongens en meisjes ontmoetten elkaar op fuifjes en bals, gechaperonneerd. De jongens hoopten te gaan studeren, de meisjes hoopten, tout court.

Op de katholieke school vertelden de zusters Ellen heel weinig over de bloemetjes en de bijtjes en heel veel over de zonde en alles wat er mis kon gaan. Bijna alles wás voor Ellen al misgegaan, maar dat werd genegeerd. Ze was omringd door mensen die ze niet wilde kennen en ze was er al snel achter dat het geloof haar niet verder hielp – het geloof dat iets haar wel zou komen redden leverde haar juist problemen op. Op de katholieke school beschermde ze zich door vol te houden – althans voor zichzelf – dat ze joods was. Haar moeder was katholiek, haar vader joods en ze omschreef zichzelf altijd als papa's meiske.

Speldengeld. Haar moeder had niet veel – het weinige dat ze had kreeg ze van haar nieuwe echtgenoot, en dat wilde ze niet delen. Ellen nam een baantje in de kledingzaak – een avond in de week, de weekends, de vakantie, en ze kreeg een flinke korting. Ze hield van haar werk, deed graag volwassen, hielp de dames bij hun keuze. Die dames waren moederlijk tegen haar, zoals ze had gewild dat haar eigen moeder was.

Ellen opende een bankrekening – ze nam zich voor om de helft, of althans een deel, van haar verdiensten te sparen. Ze had een toekomst. De baas bood aan haar met de auto thuis te brengen – zij nam het aanbod aan. In de auto praatten ze wat. De baas bood opnieuw aan haar thuis te brengen, zij nam het aanbod weer aan en hij vroeg of ze mee uit eten ging. Daarna bood hij weer aan haar thuis te brengen, nam hij haar weer mee uit eten, en na het eten zette hij de auto ergens neer waar ze konden praten. Zij vroeg hem naar zijn dromen – dat nam hem voor haar in. Hij leek in haar geïnteresseerd – dat nam haar voor hem in. Ze oefende op hem – deed meisjesachtig en verleidelijk. Dat zag hij als een uitnodiging. Stel je het gedoe voor. Hij wil het, maar wil niet zeggen wat 'het' is, zij wil 'het' niet, maar heeft geen idee hoe ze grenzen moet stellen.

Waar is het begonnen – in een auto, in een hotel, achter in de winkel, in een geleende flat? Wat zei hij tegen haar? Geloofde hij het zelf, geloofde zij hem? Hoe vaak is het gebeurd? Heeft hij het gevoel dat hij iets steelt – dat hij van iets proeft waar hij eigenlijk af hoort te blijven? Welk deel van haar heeft zijn voorkeur? Stel je haar pas gevormde figuur voor, fris, strak, volmaakt. Stel je hem voor. Is ze bang dat ze zwanger zal raken – weet ze eigenlijk wel hoe je zwanger raakt? Maakt hij zich er zorgen over?

Dat is hun verkering; zij wacht, ze wacht terwijl hij aan het werk is, bij zijn gezin is. Tijdens dat wachten doet ze ondeugende dingen; ze vertelt het aan haar vriendinnen, zorgt dat haar moeder erachter komt; ze vindt het interessant het jongere vriendinnetje van een veel oudere man te zijn. Ze wil iets anders, ze wil meer – meer dan ze hém wil – maar ze krijgt alleen seks en dan is hij weer weg. Hij neemt haar op manieren die zijn vrouw nooit zou willen, krijgt dingen van haar gedaan die hij normaal nooit zou vragen.

Ze gaan iets drinken – een martini, een gimlet of een Tom Collins, een mai tai, een Singapore sling, een sea breeze. Ze eten zoute cocktailnootjes en spareribs en ijsbergsla met roquefortdressing.

Hij biedt aan haar in een eigen huisje te installeren – zij denkt dat ze hun gezamenlijke huis gaan inrichten, hij denkt aan een liefdesnestje waar hij met haar alleen kan zijn. Zij ziet een mogelijkheid om thuis weg te komen, aan haar moeder te ontsnappen – en aan de man van haar moeder. Ze neemt het aanbod uitdagend aan, half kwaad en half hopend dat haar moeder haar kan tegenhouden – maar in het besef dat ze zich niet zal laten tegenhouden.

Ze is zeventien en eigen baas; ze is blij dat ze onder de kilheid van haar moeder uit kan, onder de jarenlange onderdrukking, onder de ogen en de handen van haar stiefvader.

'Hij is lief voor me – hij geeft om me,' zegt ze tegen haar moeder.

'Hij geeft niets om je – getrouwde mannen geven niet om meisjes zoals jij,' zegt haar moeder.

'Hij gaat een flat voor ons huren.'

'Hij gaat niet bij zijn vrouw weg.'

'Hij wil met me trouwen.'

'Hij is al getrouwd.'

Ze gaat haar koffer pakken.

'Jij hebt een afwijking,' zegt haar moeder.

'Jij bent mijn afwijking,' zegt Ellen.

'Ik zou je naar een kostschool moeten sturen, maar nu je geschonden bent, nemen de nonnen je niet meer – niemand wil beschadigde waar.'

Haar moeder grist de koffer weg. 'Dat is mijn koffer, ik heb nooit gezegd dat jij hem mocht gebruiken.'

Ellen gaat papieren zakken uit de keuken halen. Daar stopt ze haar kleren in. Haar moeder rukt de laden van de kast open en gooit haar spullen naar haar hoofd. Ellen gaat naar de zolder en vindt daar een oude reistas die nog van haar vader is geweest – later zal ze er een dode muis in vinden, een verschrompeld zakje van bont. Ze propt haar tas en de zakken vol kleren, de spulletjes uit haar toilettafel, de knuffelbeesten die ze lang geleden van haar vader heeft gekregen. Ze loopt naar de deur.

'Als je nu weggaat, moet je niet denken dat je er hier ooit nog in komt,' roept haar moeder haar achterna.

Hij staat haar niet voor de deur op te wachten – hij is bang voor haar moeder. Hij staat verderop, om de hoek. Ze gaat ervandoor, onderweg vallen er spullen uit haar tas op de stoep.

Het is een flat in een groot gebouw aan Connecticut Avenue, een klein flatje met één slaapkamer, achterin, met uitzicht op een ander flatgebouw. Het flatje is 'gemeubileerd'.

Van wie waren die meubels? Van de vrouw die er vóór haar had gewoond – die eindelijk getrouwd is, een baan in Ohio heeft gevonden, weer bij haar moeder is gaan wonen, eenzaam is gestorven op de leeftijd van veertig jaar. Van wie eigenlijk? Het was een allegaartje, spullen die mensen hadden achtergelaten, die niemand meer wilde.

Ze hebben plezier samen – met haar kan hij spelen, grappen maken en stoeien zoals hij nooit eerder heeft gekund. Hij was altijd degene die geplaagd werd. Zij laat het toe omdat ze het gewend is en ze geeft het hem met rente terug. Hij leert haar autorijden – hij plaagt haar, zij wordt kwaad en hij moet alleen maar harder lachen.

Als hij er niet is slaapt ze met de knuffelbeesten die ze van thuis heeft meegenomen.

Het is ongelooflijk stil. Ze heeft een radio, later ook een tweedehands televisie, nog later een telefoon. Er staan niet bij elkaar passende borden in de keukenkastjes, spullen die hij uit de kelder van zijn moeder heeft meegenomen met het smoesje dat ze voor zijn kinderen zijn om mee te spelen of dat hij ze thuis nodig heeft. Er liggen gehaakte kleedjes op de grond – het is allemaal een beetje armoedig, een beetje donker en deprimerend, een echo van de Tweede Wereldoorlog, maar ze koopt planten en soms krijgt ze bloemen, en ze voelt zich volwassen, een vrouw met een eigen huis. Ze slaapt met het licht aan. Als er een vriendinnetje van de middelbare school komt logeren – de meisjes vertellen thuis dat ze naar een klasgenootje gaan – roosteren ze marshmallows boven een gaspitje, eten alleen snoep, gaan naar de film en drinken koffie bij het ontbijt. Soms gaat zij bij een vriendin op bezoek – en wordt eraan herinnerd wat de meeste meisjes, ándere meisjes doen: die wonen thuis bij hun ouders, eten in de eetkamer, dragen kleren die voor hen worden gewassen en gestreken en voelen zich beschermd. De moeders hebben medelijden met haar, maar zijn ook bang dat ze een slechte invloed op hun dochters heeft. Ze loopt naar de dierentuin, gaat met de bus naar het centrum en werkt in de kleding-zaak.

Ze passen goed bij elkaar, hij en zij, maar hij is al getrouwd en gaat niet scheiden, en zij is emotioneel al wat onevenwich-tig. Twee mensen die hun kinderjaren hebben gemist, met ouders die hen in zekere zin in de steek hebben gelaten, twee wat verloren mensen. Ik zie voor me hoe ze hem amuseert, uitlokt en plaagt. Ik stel me voor dat hij vaderlijk, kalmerend en verstandig is, en ik zie voor me hoe ze samen cocktails drinken en uitgelaten zijn. Ik zie voor me hoe hij opstaat, zich wast en naar huis gaat. Ik zie hoe zij kwaad wordt en zich op hem afreageert – ze maakt een theatrale scène.

Ik zie haar met een kasjmier trui. Ik zie haar lichaam, nieuw, fris en ongeschonden. Ik zie hoe zij en hij samen zichzelf ont-dekken. Ik zie ze uitgaan. Ik zie een zekere bluf en bravoure.

En soms heeft hij geen tijd – zijn vrouw, zijn kinderen heb-ben hem nodig. Soms neemt hij een van de kinderen mee. Zijn oudste zoon wacht in de zitkamer terwijl zij even onder vier ogen praten in de slaapkamer; er wordt gegiecheld en ge-zucht. En dan zegt hij dat hij zo niet door kan gaan, dat hij het zijn gezin niet meer kan aandoen. Hij zegt dat hij het dit keer echt meent.

Zij huilt. Ze denkt dat ze doodgaat. Ze weet zeker dat ze doodgaat, ze is ziek, ze heeft pijn op de borst. Ze blijft de hele nacht wakker. Ze drinkt. Ze belt een vriend van hem, zijn bes-te vriend – ze kan niet alleen zijn.

Hij komt terug en belooft dat hij binnenkort helemaal van haar zal zijn. Zij doet alsof ze hem niet terug wil – ze beweert dat ze verliefd op zijn vriend is geworden. Die vriend geeft haar geld – en hij bezorgt haar ook iets wat jeukt.

Ze is eenzaam. Ze gaat rond borreltijd uit, om het hem betaald te zetten, om hem eraan te herinneren dat zij alleen is en dat hij getrouwd is en kinderen heeft. Mannen bieden haar drankjes aan, soms nemen ze haar mee uit eten. Hij is woedend. Hij probeert op twee plaatsen tegelijk te zijn. Zijn vrouw is erachter gekomen. Ze zegt dat dat meisje niet in de winkel kan blijven werken.

Als ze alleen is, eet ze boterhammen met pindakaas en jam en drinkt de drank op die hij heeft achtergelaten. 's Nachts hoort ze in haar slaap soms de mannen die haar vader thuisbrachten – hun stemmen, hun voetstappen. Ze herinnert zich dat ze sliep toen het gebeurde, dat ze wakker werd en de deur niet durfde open te doen. Ze weet weer dat ze door het sleutelgat keek – dat ze de arm van haar vader slap zag neerhangen. Ze weet weer hoe doodsbang ze toen werd.

Zijn vrouw zegt dat het afgelopen moet zijn. Hij zegt tegen zijn vrouw dat het uit is – hij zegt tegen Ellen dat het uit is. Hij wordt stiekem. Hij is kwaad op allebei omdat ze zoveel willen – omdat ze meer willen, alles willen.

Soms wil ze bij hem weg. Dan zegt ze dat ze iemand heeft ontmoet – en ergens is dat ook waar. Ze doet haar best, ze probeert hem te vervangen, maar het duurt nooit lang. Ze gaat met vrienden van hem om – misschien getrouwd, misschien niet. Een keer brengt ze een nacht door met een vriend en diens vrouw.

Ik stel me Norman voor, woedend en jaloers.

Zij en zijn vrouw zijn op hetzelfde feest – ze zien elkaar in hetzelfde vertrek, ze weten wie de ander is. Hij is er met zijn vrouw en negeert Ellen – of probeert dat althans. Zij drinkt te veel en kotst op het nieuwe zeegroene vloerkleed in de eetkamer. Iemand moet haar naar huis brengen.

'Wat deed ze daar?'

'Ze was uitgenodigd.'

'Ze had beter moeten weten.'

'Hij had beter moeten weten.'

Rooie koppen.

Wat denkt zij? Ze wil een klein meisje zijn, ze wil worden verzorgd, beschermd – ze vindt dat zijn vrouw wel voor haar zou kunnen zorgen als ze maar wilde. Een vreemde gedachte, maar ergens komt hij haar logisch voor – ze wil bij een gezin horen.

En dan is ze zwanger.

Weet ze dat zelf of moet iemand het haar vertellen?

Vertrouwt ze een vriendin de symptomen toe en zegt die: Je bent zwanger?

Gaat ze naar de dokter omdat ze denkt dat ze ziek is?

Weet ze dat zijn vrouw ook zwanger is?

Ze vertelt het hem niet meteen. De dag dat hij belt om te zeggen dat zijn moeder overleden is, flapt ze eruit: 'We krijgen een kindje.' Ze was eigenlijk niet van plan om het zo te doen, het gebeurt gewoon.

Zij denkt dat het goed nieuws is, dat hij blij zal zijn, dat ze nu eindelijk samen zullen zijn.

Hij is sprakeloos.

Zijn moeder is gestorven, zijn vrouw is zwanger, en zij nu ook.

Het ogenblik dat hen onvoorwaardelijk had moeten binden – het gedeelde verdriet om de dood van zijn moeder, de gedeelde blijdschap om het kind – is gewoon te veel.

Ze is kwaad omdat hij niet blij is. Hij is kwaad omdat ze niet beter heeft opgepast.

Ze krijgen ruzie.

Ze is kwaad op zichzelf en ze voelt een gerechtvaardigde woede op de wereld. Is ze ook kwaad op haar kindje?

Hij stuurt haar naar Florida en belooft dat hij ook zal komen. Zij wacht op hem; hij komt niet opdagen. Als ze teruggaat naar Maryland, huren ze samen een flat; hij blijft vier dagen bij haar en gaat dan weer naar huis.

Hij biedt aan samen dingen voor de baby te gaan kopen.

Zijn vrouw komt erachter dat zij zwanger is en stelt een ultimatum.

Dan is er het moment dat ze het aan haar moeder vertelt, of misschien ontdekt haar moeder het zelf. Haar moeder kijkt naar haar en zegt: 'Je bent zwanger, hè?'

Zij knikt en wou dat iemand eens iets aardigs zei. Ze vindt het fijn dat ze zwanger is, ze vindt het een fijn gevoel dat er een kindje in haar groeit, maar ze heeft geen idee wat ze moet doen. Ze praat tegen haar baby – ze vraagt aan de baby: Wat moet ik doen?

Als de zwangerschap vordert en ze geen werk meer kan krijgen, trekt ze weer bij haar moeder in, die inmiddels van haar tweede man gescheiden is.

Op het laatst, als de weeën beginnen, is ze alleen in het ziekenhuis. En nog steeds heeft ze de fantasie dat hij zal komen, dat hij bij zinnen zal komen en naar haar toe zal snellen. Ze wil hem bellen. Wel honderd keer staat ze op het punt de verpleegster te vragen zijn nummer te draaien.

'Waar is uw man?' vraagt iemand, en ze begint hysterisch te huilen.

Het is een prachtige baby. De verpleegsters zeggen dat ze het kindje beter niet in haar armen kan nemen. 'Tenslotte zult u haar nooit meer zien,' zegt een van hen.

'Dat bedenk je allemaal zelf,' zegt iemand tegen me. Misschien, misschien niet. Ik stel het me in elk geval zo voor. De enige andere mogelijkheid is dat iemand me vertelt hoe het gegaan is, wat er werkelijk is gebeurd.

Ik denk aan Ellen en Norman voor die tijd, ik stel me voor hoe ze in de lente in een kobaltblauwe Cadillac cabriolet langs de Potomac in Washington rijden met de radio aan en de wind in hun haar, en dat ze denken: dit is het echte leven.

Claire Ballman

Jewel Rosenberg

De elektronische antropoloog

Ik zie me gedwongen meer informatie te zoeken – ik heb altijd al dingen geweten waarvan ik niet wist dat ik ze wist. Onidentificeerbare flarden en fragmenten verschijnen voor mijn geestesoog, tussen droom en werkelijkheid, maar nu wil ik begrijpen wat ik weet en hoe ik dat weet.

In de eenentwintigste eeuw is zoeken naar je afkomst heel anders dan het zelfs nog eind jaren negentig was. Nu gaat alles via internet – Google, Ancestry.com, RootsWeb en JewishGen. Elektronische prikborden en door gebruikers aangevulde stambomen – niet te vergelijken met de tijd dat je de familiebijbel pakte en de namen voorin bekeek, toen neven en nichten nog in de buurt woonden en je met oude mensen kon gaan praten die je familie al generaties lang goed kenden, ook als ze zelf geen familie van je waren.

Op internet vind je binnen een paar seconden allang uit het zicht verloren mensen en kun je uit de uiteengeslagen atomen van gegevens, de radeloos naar hereniging hunkerende moleculen rondzwervende informatie, een portret van je familie samenstellen. De ene aanwijzing leidt naar de andere; eerst ontdek je dat er verschillende versies bestaan van degene die je zoekt – verkeerde, bijna goede, en dan: dé goede.

Genealogisch onderzoek is een van de snelst groeiende hobby's van Amerika – het lijkt wel een sport: voorouders verzamelen, net zoiets als honkbalplaatjes verzamelen. Het is ook een luie manier om door de tijd te reizen – je doet het in je eentje, op de vreemdste tijden en in een virtuele wereld – en toch gaat het om banden met anderen, om contact. En het is verslavend. Ik ben er dag en nacht mee bezig, als een eenentwintigste-eeuwse Sherlock Holmes, ik probeer het informatietijdperk voor mijn karretje te spannen. Ik betaal tweehonderd dollar om lid te worden van Ancestry.com. Ik koop hele reeksen artikelen uit het digitale archief van de *Washington Post*. Ik tik voortdurend mijn creditcardgegevens in – ik koop ongezien alles wat relevant zou kunnen zijn.

Ik begin met de ouders van mijn vader. Ik weet niet hoe ze heten, ik weet alleen dat mijn moeder mijn vader vertelde dat ze zwanger was op de dag dat zijn moeder stierf – dat moet dus ergens in 1961 zijn geweest. Ik doorzoek het archief van de *Washington Post* en daar heb ik haar, mijn grootmoeder, Georgia Hecht – overleden op 11 april 1961. (Nog niet zo lang geleden schreef ik in mijn verhalenbundel *Wat je moet weten* over een alleenstaande vrouw die zwanger wordt. Ze noemt haar kind Georgica. Toeval of onbewuste kennis?)

Elke keer dat ik iets vind – een detail, een feit, een ontbrekend stukje informatie – heb ik het gevoel dat ik iets heb opgelost. Er gaat een lampje branden. Bingo! Kassa! Even lijkt alles duidelijk, maar dan ben ik me er meteen weer van bewust dat er nog steeds, altijd en eeuwig, een enorme hoeveelheid raadsels overblijft.

De vader van mijn vader is moeilijker. Voordat ik hem vind, heb ik de ouders van zijn moeder opgespoord. Ik voer de naam Georgia Hecht in bij de resultaten van een volkstelling uit 1930 en ontdek dat ze met mijn vader, die dan vijf is, bij haar ouders in Washington inwoont. Nu weet ik niet alleen haar meisjesnaam, Slye, maar ik heb meteen ook haar vader en moeder, mijn overgrootouders, Mary Elizabeth Slye en Chapman Augustus Slye. Ik kom erachter dat Chapman A. Slye kapitein van een stoomboot was en ik vind in één moeite door ook een stuk of tien oudooms en -tantes.

Binnen een week heb ik de familie Slye getraceerd tot George Slye, geboren in Lapworth, Warwick, Engeland, in 1564. Ik vind Robert Slye, in Engeland geboren op 7 juli 1627, die naar Amerika is gegaan en in 1654 wordt vermeld als een van de parlementaire vertegenwoordigers die Maryland besturen namens Oliver Cromwell, de lord high protector van Engeland. Hij was ook voorzitter van het Lagerhuis van de assemblee van Maryland, kapitein van de koloniale militie van St. Mary's County en rechter. Linda Reno, een bijzonder hartelijke onderzoekster die ik via internet heb leren kennen, stuurt me een historisch document waarop staat dat Robert Slye op 24 april 1649 door het hof in Hartford, Connecticut, tot een boete van tien pond tabak is veroordeeld omdat hij een indiaan een vuurwapen had gegeven.

Ik zit in het archief van de *Washington Post* naar Slyes te zoeken, en daar – verstopt tussen de overlijdensberichten van 25 januari 1955 – vind ik bij de gegevens van Mary Elizabeth Slye, weduwe van kapitein Chapman A. Slye, moeder van 'Mevrouw Irving Hecht' (Georgia Slye dus), precies wat ik zocht: Irving Hecht, de vader van mijn vader. Ik zoek naar Irving Hecht bij de volkstelling, maar ik kan hem niet vinden – het lijkt wel alsof hij er op die dag in 1930 dat ze alle mensen telden, niet was. Wie was hij? En waar was hij toen? Wat waren de omstandigheden waardoor hij niet bij zijn vrouw en zoontje was? Wat deed hij voor de kost?

Nu ik eenmaal ben begonnen, krijgt de zoektocht iets urgents; ik zit tot diep in de nacht te surfen om het beeld compleet te krijgen. Opeens blijkt er informatie te zijn waar ik niet buiten kan. Het kost me nog een paar uur om Irving Hecht te vinden, maar als ik zijn overlijdensbericht heb gevonden – donderdag 5 juli 1956 – heb ik meteen zijn broers, Nathan uit New York en Arthur S. uit San Francisco, mijn oudooms!

Ik vind de juiste mensen, maar ik vind net zo snel anderen, die eventjes goed lijken maar dan toch verkeerd blijken te zijn. Ik ben er lang van overtuigd dat een van de kinderen van Harry Hecht mijn grootvader is, en voordat ik de juiste Irving Hecht heb gevonden, vind ik eerst een andere Irving Hecht, die op 6 januari 1920 met zijn vrouw Anna en zijn zoontje Bertram in Brooklyn woont. Bij iedere persoon die ik moet elimineren, krijg ik sterker het gevoel dat we onvermijdelijk allemaal met elkaar te maken hebben, allemaal verantwoordelijk voor elkaar zijn, en dat de ene Hecht niet interessanter is dan de andere. Als je geen geschiedenis hebt, is iedere geschiedenis fascinerend, zelfs de verkeerde. Ieder geleefd leven is van belang.

Bloedlijnen – ik merk dat ik steeds sterker geïnteresseerd raak in al die vreemden, mensen ik nooit heb gekend, bloedverwanten die zich aan me presenteren. Ik betrap me erop dat ik minder gemotiveerd ben om de familiegeschiedenis na te trekken van de vader en moeder die me hebben opgevoed, en ik vraag me af waarom. Is het omdat ik met hen en hun familie al vertrouwd, familiair ben – of is het ontdekken van dit nieuwe biologische verhaal in psychologische zin uniek? Ik kan niet ontkennen dat alles wat ik vind me raakt; ik identificeer me met die mensen, krijg een gevoel van heelheid en welbevinden. Het klopt fysiologisch – de cellen passen bij elkaar. En toch heeft het ook iets tegenstrijdigs, het plaatst vraagtekens bij mijn perceptie van mezelf, degene die ik meen te zijn. Die gewaarwording, die zich aan het conventionele taalgebruik onttrekt, kan ik waarschijnlijk het best omschrijven als de discrepantie, de dissonant, tussen het onbekende, sluimerende biologische zelf waarmee ik ter wereld ben gekomen en het aangenomen, aangepaste zelf dat ik geworden ben. Het zoeken, het graven, brengt het gevoel in mijn verdoofde plekjes terug, voert me door het labyrint van mijn ervaringswereld, mijn vermogen dingen te verwerken. Het ene moment ben ik merkwaardig euforisch en opgewonden, het volgende ogenblik zak ik weg in een diep dal. Ik blijf spitten, want ik denk dat ik me completer zal voelen als ik al die informatie tot me neem, dat ik me die eigen zal kunnen maken – het komt niet bij me op dat het tegenovergestelde net zo goed mogelijk is.

De behoefte jezelf en je geschiedenis te kennen is niet altijd opgewassen tegen de pijn die de nieuwe informatie je oplevert. Soms moet ik even pas op de plaats maken om mezelf de kans te geven alles bij te houden, me erop af te stemmen. Ik ga om twaalf uur naar bed en zit om twee uur alweer achter mijn bureau om online te gaan. Overdag doe ik af en toe een dutje. Mijn hersenen zijn voortdurend bezig met het herinrichten en reorganiseren van hun archief om de nieuwe informatie te kunnen onderbrengen. Aan de ene kant wil ik mijn voorgeschiedenis kennen en aan de andere kant worden al die talloze levens me bijna te veel, vooral als ik bedenk dat de meeste van mijn voorouders, zo niet allemaal, niets van mijn geschiedenis weten, zelfs niet van mijn bestaan. En ergens voel ik me ook verongelijkt omdat ik zoveel moeite moet doen om feiten te achterhalen die zij altijd al hebben gekend – informatie waar zij zomaar toegang toe hebben.

Ik kijk nu naar de stukken van de Slyes uit St. Mary's County, die andere mensen in eigendom hadden en hen verkochten of weggaven. Ik kijk naar die vroege kolonisten en vraag me af: hoe dachten zij? Waarom hebben zij, die zo onvoorstelbaar bevoorrecht waren, niet meer van hun leven gemaakt? Zij waren hier als eersten, hadden land, mankracht en macht, en wat hebben ze uiteindelijk tot stand gebracht? Waarom is er niet één president geworden, of directeur van een grote onderneming? Waarom hebben ze geen spoorwegen aangelegd of de elektriciteit ontdekt? Waarom hebben ze geen liefdadigheidsinstellingen opgericht of er geld aan gegeven? Ik kan het niet goed hebben dat ze zomaar door de kieren van de geschiedenis zijn gevallen. Ik denk veel na over verantwoordelijkheid – namen zij de verantwoordelijkheid voor wat ze waren en deden? Tot welke klasse mensen behoorden ze? En waarom maak ik me daar zo druk over? Waarom heb ik er zo'n behoefte aan dat ze goed waren – meer dan goed – waarom wil ik zo graag dat ze nobel waren?

Het zijn mijn zielen.

Ik ga naar het gemeentearchief van New York, Chambers Street 31. Om daar binnen te komen moet je je legitimeren, meedelen waar je voor komt, een pasje laten aanmaken en door een detectiepoortje lopen. Bij mij gaat het poortje piepen omdat er een pincet in mijn tas zit. Ik laat het pincet bij de receptie achter. In kamer 103 zet ik mijn handtekening en betaal ik vijf dollar om de microfiches te mogen bekijken. De mensen die daar werken, zijn daar al heel lang – ze weten wat er in al die platte metalen schuifladen zit, ze kennen het Soundex-classificatiesysteem en weten wat het verschil is tussen een trouwvergunning en een trouwakte. Ze weten hoe je verborgen schatten kunt vinden – maar ze beantwoorden niet graag vragen. Ambtenaren – het lijkt wel een aflevering van *Taxi*, met Danny DeVito als de vijandige receptionist.

Toch hebben de dingen die ik hier vind een onmiskenbare schoonheid – lappen microfilm, beelden van levens van lang geleden, in krullerig ouderwets handschrift opgestelde documenten die lang niet allemaal even leesbaar zijn. Aanvankelijk blader ik langzaam door de microfilms, ik wil ze niet snel doorspoelen, bang om iemand over het hoofd te zien, vanwege het gevoel dat ze allemaal recht hebben op een bezoeker, het recht hebben gezien te worden.

Het zit hier vol mensen die allemaal hun persoonlijke puzzel komen oplossen, en het eerste wat ik denk is: die zijn toch niet allemaal geadopteerd – wat zoeken ze dan? Ik moet mezelf eraan herinneren dat niet alleen adoptiekinderen behoefte hebben aan een antwoord op de vraag *Wie ben ik?* In dit vertrek is iedereen op zoek naar bevestiging of ontkenning van iets wat hij over zichzelf meent te weten. Ze zoeken allemaal naar bevestiging, steun, definitie. Ze gaan er totaal in op – diep verzonken in namen, data, codes – maar de meesten zijn ook graag bereid me te helpen. Sommigen geven uit zichzelf nuttige tips, anderen vertellen me hun verhaal. Ik vraag vaak: 'Hoe lang bent u al bezig?' 'Zeven jaar,' zegt een vrouw. 'Het begon als een hobby, een verjaarscadeautje voor mijn man,' zegt een andere. 'Het begon na de dood van mijn vader,' zegt weer een andere vrouw. 'Hebt u al bij de Italianen gekeken? Die houden alles goed bij, zelfs over de joden.'

Een andere vrouw buigt zich naar me toe en fluistert: 'Bent u al in Salt Lake City geweest?' Salt Lake is 'de berg', het mekka van de genealogie – de thuisbasis van de mormonen, die overal ter wereld genealogische gegevens vandaan halen. Iedere maand worden er wel vijf- tot zesduizend spoelen microfilm aan hun collectie toegevoegd. Het is niet algemeen bekend, maar de mormoonse kerk heeft zo'n schitterend genealogisch archief omdat ze mensen verzamelen – ze willen de afstamming van de hele wereldbevolking vastleggen om die postuum te bekeren. Ze maken dus eigenlijk de doden tot mormoon – doop per procuratie. Ze hebben een reinigingsritueel waarmee ze je in hun rijen inlijven. Dit tot verontwaardiging van de joodse gemeenschap, want de mormonen hebben ook de gegevens van de Holocaustslachtoffers gebruikt om hen tot mormoon te maken. In 1995 zei de Kerk van de heiligen der laatste dagen dat ze zich zou houden aan een verdrag waarin ze toezegt op te houden met het postuum dopen van Holocaustslachtoffers en andere overleden joden, maar ze gaan er nog steeds mee door. 'Ze maken nog elke dag mensen tot mormoon. Ik ben er eens twee weken geweest,' zegt de vrouw. 'Hémels. Denk er eens over na,' zegt ze.

Het gezoem van de apparaten vermengt zich met de virtuele stilte waarin iedereen aan het werk is – het valt niet mee om je te concentreren. Herhaaldelijk raak ik tot mijn ergernis de draad kwijt van wat ik zocht. Een man met een wit overhemd hamstert dossiers, hij heeft verschillende laden tegelijk openstaan, haalt armenvol spoelen en verspert de doorgang. Er is hier een regel die voorschrijft dat je één microfilm tegelijk mag pakken – bekijken en weer terugleggen – zodat meteen de kans kleiner wordt dat iets verkeerd wordt opgeborgen. 'Meneer,' zeg ik, 'u mag er maar één per keer meenemen.' Hij negeert me. 'Meneer,' probeer ik nog eens. 'Wacht even,' bromt hij, en hij begint in een la te spitten. Ik duw met mijn been tegen de la en dreig hem dicht te doen met zijn hand er nog in. 'Meneer – is uw dode soms belangrijker dan die van alle anderen?'

Ik vind huwelijksakten van David en Rika Hecht, mijn overgrootouders van vaderskant, allebei in Duitsland geboren, en allebei met de namen van hun ouders erbij, mijn betovergrootouders: Nathan Hecht en Regina Grunbaum, en Isaac Ehrenreich en Rosa Steigerwald. Binnen het uur heb ik het geboortebewijs gevonden van Irving (oorspronkelijk Isaac), Arthur Samson en Nathan – mijn grootvader en mijn oudooms.

Ik vind Moriz Billman, die in 1846 in Gomel, Rusland, is geboren en in 1888 met zijn tweede vrouw en zijn kinderen uit zijn beide huwelijken naar Amerika is gekomen; later is hij op zijn verzoek als Morris Bellman, Bergen Street 466 in Brooklyn, tot Amerikaans staatsburger genaturaliseerd. Ik vind Billmans die eerst Bellmans en daarna Ballmans zijn geworden. Ik maak een kopie van de huwelijksakte van mijn grootvader van moederskant, Bernard Bellman, en mijn grootmoeder van moederskant, Clara Kahn, en zie dat Bernard al eerder getrouwd was geweest en in 1925 van zijn eerste vrouw,

Margaret R. Bellman, was gescheiden. Wisten zijn kinderen, mijn moeder en haar broer, daarvan? Waren er ook kinderen uit dat eerste huwelijk? De man bij de receptie zegt dat ik wel op de zesde verdieping mag gaan kijken als ik nieuwsgierig ben – als de scheiding in New York is uitgesproken, zouden de gegevens daar weleens te vinden kunnen zijn.

Iedere naam, iedere datum gaat met beelden gepaard. Ik begin me voor te stellen wie ze waren – wie ik zou kunnen zijn. Ik ben de kleindochter van een Engelse *Southern belle*. Ik ben de kleindochter van een Roemeens-Franse immigrant. Ik ben de kleindochter van de Litouwse boerendochter, de kleindochter van de Russische bookmaker, de kleindochter van een Ierse. Ik ben de aangenomen dochter van de therapeute en de linkse kunstenaar en de biologische dochter van de overspelige rokkenjager en het losgeslagen meisje, de verweesde kleine meid.

Ik ga terug in de tijd en waad door een helder, snelstromend beekje. Ik ben boer op een plantage, ik ben kapitein van een schip. Ik ben een vrouw in een lange witte jurk, met hoog opgestoken krullend haar; ik voel de zomerse hitte – het vochtige zuidelijke klimaat, de zware, roerloze middaglucht, het naderende onweer. Ik roep zeekapiteins op en drink glazen bloedrode wijn. Beelden uit gedichten en koortsdromen. Ik kom van een plantage en ik durf te beweren dat ik dat altijd al onbewust heb geweten. Ik stel me het leven van leerjongens, bedienden en slaven voor – van wie sommigen dezelfde namen hebben als de mensen die ik zoek. Wanneer zijn ze bevrijd en waar zijn ze toen heen gegaan?

Het wordt wel duidelijk dat dit allemaal over verhalen gaat – het vertellen van het verhaal. Ik kan er niet omheen: het is wel frappant dat ik, iemand zonder verleden, schrijver ben geworden, iemand die verhalen vertelt, dat ik uit mijn fantasie levens creëer die nooit hebben bestaan. Iedere familie heeft een verhaal dat zichzelf vertelt – dat wordt doorgegeven aan de kinderen en kleinkinderen. Dat verhaal groeit en muteert door de jaren heen; sommige gedeelten worden aangescherpt, andere weggelaten, en er wordt vaak over gediscussieerd wat er nu werkelijk is gebeurd. Maar zelfs al heeft hetzelfde verhaal nog zoveel verschillende kanten, iedereen is het erover eens dat het de familiegeschiedenis is. En bij gebrek aan andere verhalen wordt dat de vlaggenstok waaraan de familie-identiteit wordt uitgehangen.

Als kind zijn we allemaal van nature goedgelovig. Het komt niet bij ons op het familieverhaal in twijfel te trekken; we nemen het voor waar aan en begrijpen niet dat het een verhaal is, een veelgelaagde gezamenlijke mythe. Stel je de variaties eens voor en wat die betekenen in termen van tijd, plaats, sociale status en structuur. Stel, je komt uit Topeka, waar je familie al vijf generaties woont, je grootvader was dominee, je grootmoeder half indiaans. Of je grootmoeder komt uit een dorpje in Italië; ze is hiernaartoe gekomen nadat haar hele familie bij een uitbarsting van de Vesuvius om het leven is gekomen. Je moeder is eerder getrouwd geweest en heeft toen een kind gekregen dat ze heeft weggegeven – je hebt dus ergens een zusje. Je moeder maakte een avondwandeling en werd besprongen door iemand die haar was gevolgd – jij bent daarvan het resultaat.

Ik neem de lift naar de zesde verdieping. De geur van oud papier slaat je in het gezicht zodra de liftdeur opengaat; in de gangen staan metalen stellingen, volgepropt met papier, wankele stapels die op de grond dreigen te vallen. Dit is de geschiedenis van New York, de geschiedenis van Amerika – het lijkt wel alsof ik in een film van Joel en Ethan Coen ben beland.

In het midden van de ruimte zijn tafels tot een carré bij elkaar geschoven. Daarop liggen recente en minder recente kranten en er zitten mensen niets te doen – het is niet duidelijk of ze hier werken of dat ze gewoon nergens anders heen kunnen. Misschien is dit wel een historische dag in het kader van een therapie of een straf. Er is hier geen lucht, geen verstrijken van minuten, uren en jaren. 'Waar zou ik een echtscheiding uit de jaren twintig kunnen vinden?' vraag ik aan alle aanwezigen. Een man reageert. 'Misschien daar, in de kaartenbakken,' zegt hij met een knikje naar de hoek. Daar staan enorme stalen kasten waarin de kaarten van alle rechtszaken opgeborgen zijn. Naast de kaartenbakken staat een grote metalen kast met een deur. Die wrik ik nieuwsgierig open. Oude dossiers zuchten, verkruimelde vellen papier dwarrelen eruit, gruis dat eruitziet als zaagsel – of rommel uit muizennesten – valt op de grond. Snel doe ik de deur weer dicht en loop weer naar de kaartenbakken. Weer ga ik op goed geluk op zoek naar alles waar de namen van mijn lijstje op staan – Hecht, Bellman, Ballman, Billman.

'Wat is dit voor iets?' vraag ik, en ik laat de man de kaart zien van *Hecht contra in RE*.

'O, dat zou weleens interessant kunnen zijn,' zegt de beambte. Meent hij dat of bedoelt hij het sarcastisch? 'Dat *in RE* betekent doorgaans dat een van de partijen minderjarig was

of om andere redenen niet in staat was zelf in rechte op te tre-
den.'

Alleen al die woorden, 'In Re:', brengen mijn fantasie op
gang. Ik zing bij mezelf: 'In Re, die vind je in het woud.'

'Als u die dossiers wilt inzien, moet u een formulier invullen – die oude zaken liggen ergens anders opgeslagen.'

'Geweldig, waar vind ik dat formulier?'

'Chambers Street 60, kamer 114.'

Chambers Street 60 is onvindbaar, ook al zou het vlak om de
hoek moeten liggen. De smalle straten van dit deel van Manhattan vallen in het niet naast de enorme, hoge gebouwen –
sommige onvoorstelbaar oud, andere moderne, eigentijdse
forten. Tussen die gebouwen patrouilleert de politie met het
machinegeweer in de aanslag – dit is de nieuwe wereld van na
11 september, en wij lijken te geloven dat we veiliger zijn als er
mensen met vuurwapens patrouilleren. Daar is een gevange-
nis; voor de deur staat een vrouw met een kogelvrij vest en een
groot geweer op wacht. 'Weet u misschien waar Chambers
Street 60 is?' 'Ik heb geen idee,' zegt ze, en het volgende moment zie ik dat het pal aan de overkant is, en ik bedenk dat het
geen goed teken is dat die vrouw niet weet waar ze is en dat
het haar kennelijk ook niet interesseert – stel dat ze iemand
moet laten weten waar ze zich op dit moment bevindt, of welke kant iemand uit is gegaan?

De tegenstelling is schokkend – buiten die betonnen versper-
ring, mannen en vrouwen met geweren, overgoten met stra-
lend zomers licht, de ongelooflijke zinderende hitte, en binnen die geur van ouderdom, schimmel, stof en dingen die in
geen vijftig jaar zijn aangeraakt. Ik raak hier verschrikkelijk

147

gedeprimeerd van en word eraan herinnerd hoe geïsoleerd ik bezig ben en hoe krankzinnig dit gespit is – het kan toch niemand iets schelen. Wat ik ook vind, het is toch maar vluchtig en tijdgebonden, flinterdun. Ik denk aan de papieren die over Manhattan naar Brooklyn werden geblazen toen het World Trade Center instortte, verbrande memo's van bureaus, en dat de mensen zich aan die vodjes vastklampten alsof ze de geheimen van de wereld, van de schepping bevatten.

Op Chambers Street nummer 60 word ik staande gehouden door de beveiligingsman bij het detectiepoortje en ik beken dat ik een pincet in mijn tas heb. Dat interesseert hem niet. Hij wil alleen weten: 'Hebt u een camera in uw telefoon?' Nee. Binnen vul ik de aanvraagformulieren in. Het is twaalf uur. Ik ben uitgeput.

Vanuit mijn flat wissel ik e-mails met mensen die ik niet ken en met familieleden die ik mijn hele leven al ken. Ik haal de banden met mijn adoptiefamilie nauwer aan. Ik heb het gevoel dat ik nu meer bij mijn adoptiefamilie hoor dan vroeger, als kind – dat komt doordat we inmiddels de ervaring delen dat we met hetzelfde verhaal zijn opgegroeid, dat weliswaar niet biologisch het mijne is, maar sociaal en cultureel wel. Ik schrijf naar familieleden van mijn adoptiemoeder in Parijs en in Londen. Van hen verneem ik verhalen over de melkveeboerderij van Jacob Spritzer aan de Mohawk Trail in North Adams, Massachusetts – de hond, de koe, de paarden Nigger en Dick. Verhalen over de kinderen (de oudooms en -tantes met wie ik ben opgegroeid), Lena, Henry, Helen – die in 1912 op haar veertiende aan difterie is gestorven – Maurice, Samuel, Solomon (die Charlie werd genoemd), Harold, Doris en mijn dierbare grootmoeder Julia Beatrice.

Ik verzamel informatie over Simon Rosenberg en Sophie Rothman – mijn overgrootouders van de kant van mijn adoptiemoeder, in de jaren zeventig van de negentiende eeuw geboren in Roemenië, in Braila, een plaatsje aan de Donau. Mijn grootvader, Bernard, hun oudste kind, is daar in 1896 geboren, en in 1898 verhuisde het gezin naar een appartement in de Rue Vieille du Temple, op nummer 64, in de Parijse wijk Le Marais. In Frankrijk begonnen ze een goedlopende hoedenfabriek en kregen ze een heel groot gezin. Mijn oudtante Rachel is op haar derde verbrand toen de kinderen alleen thuis waren en haar jurkje vlam vatte – mijn grootvader en zijn broer hebben nog vergeefs geprobeerd het vuur te doven. Andere kinderen uit het gezin waren Joffre (die op zijn zesde is gestorven), Raymond, Etienette, Henriette (die maar zes dagen heeft geleefd), Adèle, Maurice en Julien (allebei in Auschwitz omgebracht), Emmanuel (in de Tweede Wereldoorlog gesneuveld) en nog een broer, Léon. In 1972, toen mijn grootvader in Washington overleed, kreeg ik twee van zijn hoeden, een winterhoed en een zomerhoed. Hij kleedde zich eenvoudig en elegant en ging nooit uit zonder hoed. Toen ik dertien was ben ik naar Parijs geweest, waar ik Adèle en Etienette heb ontmoet. We zijn toen ook naar de Rue Vieille du Temple gegaan – de achternaam van mijn grootvader stond nog bij de bel, meer dan vijftig jaar later.

Via mijn adoptievader, een paar tantes in Florida en een nicht die in New York tien straten bij mij vandaan woont, scharrel ik het verhaal van de ouders van mijn adoptievader bij elkaar – Jacob Homes en Minerva Katz. Mijn hele kindertijd lang hebben ze het nooit over hun verleden gehad – ik kende ze alleen als hardwerkende mensen die van kwarktaart en stoofpeertjes hielden. Jacob Homes (Homelsky) werd in 1892 in Rusland geboren en had drie zusjes en een broer. In 1910 is hij van Rusland naar Finland gelopen, waar hij werk vond op een schip dat hem eerst naar Canada en daarna naar Philadelphia bracht – daar verdiende hij genoeg om zijn moeder, zijn broer en zijn zusjes te laten overkomen. In 1916 ontmoette hij Manya Kvasnikaya (Minerva Katz) uit het Russische Jekaterinoslav.

Minerva, de jongste dochter van een groot gezin, was een ongewenst nakomertje dat voornamelijk door haar oudste zus werd opgevoed. Ze ging twee jaar naar een Russische school en kreeg daarna les van iemand in de haringstal van haar zus, op een zuurvat. Thuis sliep ze boven de kachel op een strozak.

Als puber ging ze met haar zuster en zwager naar Amerika, waar ze zich in het noorden van New Jersey vestigden. Ze werkte als caissière in Atlantic City, volgde zes jaar de lagere school en trok later in Philadelphia bij een vrouw in die spullen aan immigranten verkocht. Daar sliep ze op een plank die over de badkuip werd gelegd.

In Philadelphia bezorgde Jacob Homes voor een slager vlees bij het huis waar Minerva woonde – hij viel op haar omdat ze kon lezen en schrijven. Ze trouwden; hun eerste zoon stierf bij de geboorte. In 1918 werd Joseph Meyer Homes, mijn adoptievader, geboren, gevolgd door vijf zusjes. Niemand weet of Jacobs vader ook naar Amerika is overgekomen – maar iedereen meent dat hij bij een ongeluk om het leven is gekomen, dat hij door een kar is overreden.

In 1929, toen ze in New Jersey woonden, brandde hun slagerij tot de grond toe af en daarna verhuisden ze naar Washington, waar Minerva's broer woonde. In Washington vond

Jacob tussen het afval een groot olievat, vulde dat met benzine en ging ermee naar de boerenmarkt, waar hij de benzine per emmer van twintig liter aan de boeren verkocht voor de terugreis naar hun boerderij. Daarna ging hij op straat benzine verkopen voor vijf cent per vier liter en bouwde uiteindelijk zijn bedrijf uit tot de Homes Oil Company.

Pas toen ik naar de familiegeschiedenis begon te vragen, vertelde mijn adoptievader me de vreemdere verhalen uit zijn jeugd – een moment dat zijn persoonlijke geschiedenis een bijzonder smerig, inmiddels vergeten moment in de geschiedenis van Amerika kruiste. In juli 1932 werkte hij bij de benzinepomp van zijn vader aan Maryland Avenue in Washington toen generaal Douglas MacArthur en generaal George S. Patton met vier pelotons cavalerie, vier pelotons infanterie, een eskadron met raketwerpers en zes tanks op bevel van president Hoover de 'Bonus Marchers' uit de stad verjoegen. Cavaleristen met de bajonet op het geweer verjoegen de Marchers – veteranen uit de Eerste Wereldoorlog – uit hun hutten. De manschappen en de paarden stormden dwars door het benzinestation heen. Mijn grootvader greep mijn vader vast en sleurde hem weg. Dat verhaal van mijn vader en de Bonus Marchers – twintigduizend werkloze veteranen uit de Eerste Wereldoorlog die naar Washington waren getrokken om een bonus, een betaling in contant geld, te eisen – hoor ik voor het eerst als ik vierenveertig ben. Ik ben er dolblij mee. Ik krijg het gevoel dat ik langzaam een oeroud, verloren gegaan wandtapijt aan het reconstrueren ben.

Thuis in New York gaan mijn elektronische opgravingen verder. Ik neem twee onderzoekers in dienst – een in New York en een in de buurt van Washington. We communiceren uitsluitend per e-mail. Ik vertel ze van de losse stukjes informatie, de fragmenten van feiten die ik zoek, en zij gaan aan de slag. Ik ben blij dat er nu vanuit verschillende invalshoeken naar gekeken wordt – dat er meer dan één gedachtepatroon aan deze puzzel werkt.

Ik correspondeer per mail met iemand in Israël die misschien familie is van familie van mijn adoptievader in Brunswick, New Jersey. Ik spreek met dominee John Gray in Ohio, wiens belangstelling voor genealogie voortkomt uit het idee dat hij misschien familie is van zijn filmheld Roy Rogers, die eigenlijk Leonard Franklin Slye heette. Dominee Gray meldt teleurgesteld dat hij geen familie van Roy is, maar ik waarschijnlijk wel – Roy was een van de Slyes uit Warwickshire in Engeland, die zich in Ohio hadden gevestigd. Ik wissel ook geregeld mailtjes uit met Linda Reno in St. Mary's County, Maryland. Zij is verre familie en ze heeft enorm veel bijgedragen aan het in kaart brengen van de familie Slye. Al mijn correspondentiecontacten zijn vlakbij, onder mijn toetsenbord, en toch zijn ze ook zo ijl en ongrijpbaar als het geheugen zelf. En toch voel ik me nog steeds, altijd, een buitenstaander. Ik ben nog steeds bang dat ik ieder moment kan worden betrapt en dat mijn correspondenten dan zullen zeggen: Jij hoort niet bij deze familie, je hebt geen recht op deze informatie. Met een bonkend hart mail ik Linda Reno om op te biechten dat ik een onwettig kind ben, en als ik twee dagen niets meer van haar hoor, ben ik doodsbang – maar dan schrijft ze terug, tot mijn enorme opluchting, en haar antwoord is warm, oprecht en hartelijk.

Zo gaat het maanden door – in vlagen. Ik jaag en verzamel, hou er dan uitgeput en vaak ook ontmoedigd mee op, verman me en ga weer door. Ik raak ervan overtuigd dat ik het raadsel van de tweede man van mijn biologische grootmoeder van moederskant kan oplossen – ik weet zeker dat hij degene is die met mijn grootmoeder op de foto staat die waarschijnlijk op een oudejaarsfeestje in de jaren vijftig is gemaakt. Ik vind een heleboel Barney Ackermans in Florida; dat lijkt wel het soort oord waar een Barney Ackerman na zijn pensioen gaat wonen. Ik vind iets wat erop lijkt te wijzen dat er een Barney Ackerman is geweest die in de jaren negentig in Canada is overleden, maar dat kan ik niet sluitend krijgen. Wanneer zijn Barney Ackerman en Clare Kahn Ballman getrouwd en gescheiden? Eindelijk komt de onderzoekster in Washington een stapje verder – zij vindt de huwelijksakte. Ze zijn op 22 september 1950 getrouwd. Ellen zal toen twaalf zijn geweest – een voor de hand liggende prooi voor deze stiefvader, die al twee huwelijken achter de rug had. Een volgende stap levert zijn overlijdensbericht op – hij blijkt een stomerij te hebben gehad, in Calgary, Alberta, Canada te zijn geboren en op 28 maart 1993 te zijn overleden als echtgenoot van Jeanne Ackerman uit Hebron, Nova Scotia. Dat zijn dus minstens vier huwelijken – de eerste scheiding in Florida, de tweede in Reno en de derde waarschijnlijk in het noorden van Virginia, rond 1960. Zou Ellen hebben geweten dat hij dood was – en zo ja, was ze opgelucht? Het is me nooit duidelijk geworden wat voor relatie Ellen met die man had. Uit de dingen die ze in onze telefoongesprekken zei en uit wat Norman daar later aan kon toevoegen, maak ik op dat de relatie ten minste tot op zekere hoogte seksueel getint was en dat ze zich daar erg ongemakkelijk bij voelde.

Nog meer gegraaf. Ik vind Pearl B. Klein, zuster van Bernard Bellman, in 1924 als advocaat bij de balie van Washington ingeschreven, tegelijk met haar man, Alfred Klein, die later juridisch hoofdmedewerker van de ambtenarenbond zou worden.

Ik vind de broer van Bernard Bellman, John (oorspronkelijk Jake) Bellman, wiens zoon Richard de befaamde wiskundige was die het 'dynamisch programmeren' heeft bedacht. Richard was docent aan Princeton en Stanford, heeft voor de Rand Corporation en aan het Manhattan Project in Los Alamos gewerkt en veertig boeken over theoretische wiskunde geschreven. Ik neem het materiaal telkens opnieuw door en bij iedere schifting vallen er nieuwe kruimels uit – achternamen, namen van mannen met wie zusters zijn getrouwd, de namen van ooms, neven en nichten, plaatsen – allemaal puzzelstukjes.

Ik verbreed mijn onderzoek. Ik gebruik zoekmachines als AnyWho.com om adressen van willekeurige mensen met de achternamen Slye, Bellman, Ballman en Hecht te vinden (er is bijna niemand die Homes heet). Ik schrijf brieven waarin ik uitleg dat ik journalist ben, aan een project over familiegeschiedenis werk en hen graag zou willen spreken. Hoe spannend het ook is, het valt me zwaar die brieven te posten en er vervolgens achteraan te bellen. Ik wil die mensen graag spreken, maar ik ben bang dat ze me niet te woord willen staan – en wat moet ik trouwens zeggen als ze vragen wie ik ben?

Ik neem een werkstudente in dienst om me bij de eerste telefoonronde te helpen en eventuele vragen te beantwoorden – bijvoorbeeld of het wel een echt, legaal onderzoek is. Ik doe de interviews. Ik praat met twee Slyes die toevallig allebei dominee zijn, Harry in Texas en John in Virginia – ze kennen elkaar niet, maar ze zijn allebei ongelooflijk aardig, hartelijk, behulpzaam en trots op hun familie. Ik praat met Chapman Slye, die in Fredericksburg, Virginia, aan het hoofd van achtentwintig schoolkantines staat en naar mijn overgrootvader is vernoemd. Chapman vertelt over de banden van de familie met het kustgebied van Maryland en over zijn avonturen met zijn grootvader, Harry E. 'Skipper' Slye senior, die loods was, honderdtwee is geworden en tot zijn vijfentachtigste schepen de Potomac op heeft geloodsd. Hij stelt ook voor dat ik met zijn moeder praat, de weduwe van Harry E. Slye junior. En als ik naar Georgia Slye Hecht vraag, lijkt niemand zich veel over haar te herinneren, behalve dat ze 'een dragonder' en 'dominant' was en dat de meesten een beetje bang voor haar waren – vooral vrouwen die in de familie introuwden. De Slyes met wie ik spreek zijn bijzonder aardige, hardwerkende, serieuze, opgewekte mensen die heel trots op hun familiegeschiedenis zijn, maar net als bij veel andere Amerikaanse families lijkt iedere volgende generatie verder van de oorspronkelijke woonplaats van de familie vandaan te wonen, minder contact met de verder verwijderde verwanten te hebben en minder van de familiegeschiedenis te weten. Ze vragen me niets over mijn verwantschap met de familie en als ik aan een van hen vraag of er gemengde huwelijken zijn voorgekomen, zegt hij dat er nogal wat ophef ontstond toen er katholieken in de familie kwamen. Ze zijn zich er niet van bewust dat er ooit een jood in hun midden heeft verkeerd – niemand heeft het over het huwelijk van Georgia Slye met Irving Hecht – en daardoor begrijp ik beter waarom mijn biologische vader, Norman, zich zo nadrukkelijk als niet-joods presenteerde. Dominee Harry L. Slye vertelt van familiereünies van lang geleden, waarvoor zijn grootvader, die ook Harry L. Slye heette en een vooraanstaand begrafenisondernemer in Washington was, stoelen uit zijn rouwkapel mee naar huis nam, in een toen nog landelijke buitenwijk, en dat de hele familie bijeenkwam, neven en nichten van alle leeftijden en generaties, om van de oesters uit St. Mary's County te smullen, spelletjes te doen en op het gazon te dansen.

Mijn assistente belt iemand in New York die Robert Hecht heet en waarschijnlijk geen familie is. Hij zegt dat hij op het punt staat naar Parijs te vertrekken en dat ik hem daar kan bereiken – ik wacht een paar dagen en bel hem dan. Er neemt een vrouw op die me vertelt dat hij inmiddels weer naar New York is. 'Waar gaat het over?' vraagt ze, en ik brand los. Ik doe mijn best om alles goed uit te leggen. 'Ik weet niet of hij wel geïnteresseerd is,' zegt ze, 'maar misschien kunt u mijn dochter een mailtje sturen om uw zaak te bepleiten.' Ze geeft me het mailadres van haar dochter, die advocaat in New York is. Een beetje van mijn stuk gebracht door de term 'uw zaak bepleiten' raap ik al mijn moed bij elkaar en vraag: 'Hoe heet u?' 'Elizabeth Hecht,' zegt ze, en er loopt een rilling over mijn rug. Elizabeth Hecht, zo heette ik – die naam stond op het armbandje dat ik om had toen ik uit het ziekenhuis naar mijn nieuwe thuis werd gebracht. Dat was des te vreemder omdat mijn adoptiemoeder me Elizabeth had willen noemen, maar van gedachten was veranderd toen ze dat armbandje zag. 'Elizabeth Hecht,' zegt ze, en dat is wel het laatste wat ik had verwacht. Er kolken allerlei chemicaliën door mijn systeem die mijn hersenen opdragen op te hangen, te vluchten, te lachen, me voorhouden dat dit ongelooflijk vreemd is – ze heet natuurlijk niet echt Elizabeth Hecht, ze is geboren als Elizabeth Weetikveel, ze is alleen met Hecht getrouwd. 'Belt u mijn man maar,' zegt ze, 'hij is nu weer in New York.'

Ik kies het nummer in New York; een oudere man neemt op en zegt dat het nu niet gelegen komt. 'Ik ging nét de deur uit.'

De teneur van die gesprekken maakt me nieuwsgierig wat dit voor mensen zijn.

Ik googel op Robert Hecht en Elizabeth Hecht en ontdek dat hij een heel beroemde handelaar in antiquiteiten is en betrokken was bij een internationaal schandaal rond de verkoop van Italiaanse kunstvoorwerpen die gestolen zouden zijn, en dat er sinds eind 2005 in Rome een rechtszaak liep tegen hem en Marion True, voormalig curator van het Getty Museum, wegens illegale handel in kunstvoorwerpen uit de oudheid.

Voor zover ik kan nagaan zijn Robert en Elizabeth Hecht geen familie van me, maar ik vind het een fascinerend verhaal.

Op een dag, als ik de Bellman-documenten zit door te nemen, spreek ik in een moedige bui een bericht in voor een zekere Eric Bellman, een therapeut in Californië. Ik wist al dat ik ergens een familielid van die naam heb, zoon van Richard Bellman en broer van Kristie, aan wie ik na Ellens dood heb geschreven, maar die mijn brief nooit heeft beantwoord. Het duurt weken voordat Eric terugbelt, maar hij blijkt inderdaad degene te zijn die ik zocht. Ik ben blij dat ik heb weten te deduceren wie van alle Eric Bellmans in de Verenigde Staten een biologisch familielid van me is. Ik vertel hem over mijn project, over de tientallen brieven die ik heb verstuurd. Ik vertel hem dat ik al contact met een heleboel Slyes en Hechts heb gehad, maar dat niet één Bellman zich heeft gemeld. Hij zegt dat de Bellmans nu eenmaal zo zijn – wat dat 'zo' ook mag betekenen – en hoewel we niet veel te bespreken hebben, ben ik toch blij dat we contact hebben gehad.

Wat ik hem niet vertel is dat ik, nadat ik had vastgesteld dat hij de Eric Bellman was die ik zocht, een foto van hem heb gegoogeld en die heb vergeleken met een oude foto van zijn vader die ik op internet had gevonden. Ik heb op mijn manier voor FBI-analist gespeeld en de haargrens, de wenkbrauwen en de vorm van de kin op beide foto's vergeleken, om tot de conclusie te komen dat dit de juiste Eric Bellman was.

Op mijn zoektocht kom ik krantenknipsels tegen over de familie Hecht in New York en omgeving. Na enig gegoogel stuit ik op Warren Hecht, een tandarts. Ik bel zijn praktijk. Hij neemt zelf op en ik probeer mijn project uit de doeken te doen. 'Schrijf me maar een brief,' zegt hij nurks. 'Goed, maar mag ik nu vast even snel iets vragen? Bent u toevallig familie van Arthur, Nathan en Irving Hecht?' Opgetogen herhaalt hij de namen. 'Arthur, Irving, Nathan,' zegt hij. 'Ja, Nathan was mijn vader.' 'Dat dacht ik al.' 'Met wie spreek ik eigenlijk?' vraagt hij. Er volgt een opgewonden gesprekje en hij stelt voor dat we aanstaande dinsdag om zeven uur 's morgens afspreken. Verrast door zijn enthousiasme ga ik akkoord. Het lijkt wel alsof hij een lang verloren gewaand familielid heeft ontdekt – en dat is natuurlijk ook zo. Als Warren naar mijn positie in de familie vraagt, leg ik uit dat ik de dochter van Norman Hecht ben, maar dat hij en mijn moeder niet getrouwd waren en dat ik niet bij hem ben opgegroeid. Dat lijkt ook duidelijk over te komen. Hij zegt dat hij zich op de kennismaking verheugt en we hangen op.

Die dinsdag gaat de telefoon om kwart over zes 's morgens. Het is Warren Hecht, die onze afspraak afzegt. 'Ik heb het te druk,' zegt hij, 'ik bel over een paar weken nog wel.' Als ik aandring omdat ik wil weten of hij het echt te druk heeft of dat er meer achter zit, lijkt hij zenuwachtig. Ik vraag me af wie er op hem heeft ingepraat – wie zijn enthousiasme zo heeft getemperd. Diep teleurgesteld leg ik neer – ik had me niet gerealiseerd dat ik me zo op de ontmoeting had verheugd. Ik had hem willen laten zien wat ik had gevonden, het geboortebewijs van zijn vader, de trouwakte van zijn grootouders. Ik had willen vragen wat hij over zijn grootouders weet, en over zijn ooms en zo. Daarna besluit ik de ontmoetingen voorlopig even op de lange baan te schuiven. Afspraken maken is vragen om afwijzingen, en die zijn te pijnlijk om steeds te herhalen.

Ik schrijf me in voor het genealogische project van de *National Geographic*. Ik betaal honderd dollar, maak twee keer binnen een etmaal een uitstrijkje van mijn wangslijm – voor het DNA – en stuur dat op, alsof ik me bij de grote menselijke familie aansluit. Op internet vind ik nog een andere DNA-test die belooft me de namen te geven van degenen die waarschijnlijk mijn voorouders zijn. Ik denk over de vreemde maar interessante traditie dat een vrouw bij haar huwelijk afstand van haar achternaam doet en in de familie van haar man wordt opgenomen – zo verdwijnt ze feitelijk, haar eigen achternaam verdampt uit de annalen. Eindelijk begrijp ik de woede achter het feminisme – om het idee dat je als vrouw een stuk bezit bent dat door de vader aan de echtgenoot wordt overgedragen, dat je niet bestaat als onafhankelijk individu. De keerzijde is dat je zo ook een van de weinige wettelijk toegestane manieren hebt om te verdwijnen – niemand plaatst er vraagtekens bij.

Maanden later voer ik de inlogcode in die ik bij de test meegeleverd heb gekregen en verneem dat mijn DNA tot haplogroep U behoort en dat ik, jawel, net als alle vrouwen ter wereld, van de 'mitochondrische Eva' afstam. Maar wie was dat? Kan ik haar op AnyWho.com opzoeken? Kan ik haar een brief schrijven? Uit deze informatie kan ik heel weinig over mijn genetische reis afleiden. Ik mag ook nog een aantal documenten van fotokwaliteit uitprinten, waaronder een persoonlijk certificaat waarop staat dat ik aan het Genografische Project heb meegedaan, maar verder heb ik het gevoel dat ik honderd dollar heb betaald voor iets wat ik allang wist – dat ik familie van alle mensen ben.

Een van mijn mooiste ontdekkingen op internet is Random Acts of Genealogical Kindness, een organisatie van zo'n vijfduizend vrijwilligers die in hun eigen omgeving informatie voor je zoeken – in historische archieven, in kerkregisters en op grafstenen. Die vrijwilligers wonen overal in de Verenigde Staten, Canada en nog vierenveertig andere landen – ze verwerken gemiddeld ruim achtduizend verzoeken per jaar.

Ik duik verder in de geschiedenis en ga naar Centre Street 60 in New York, een van de archieven van de stad, en vraag alles met de relevante achternamen op.

Een week later belt de ambtenaar van het New Yorkse archief en spreekt een bericht in dat er een aantal documenten is gearriveerd, maar dat andere niet kunnen worden geleverd omdat ze vernietigd zijn. In het centrum stort ik me in het labyrint. Ik krijg de documenten over een hoge houten toonbank toegeschoven; ze zijn bros van ouderdom, die knisperende documenten, het dunne papier is uitgedroogd en ieder velletje lijkt wel een plakje weefsel bij de patholoog. De letters zijn op een schrijfmachine getypt en voor de aantekeningen en de handtekeningen is een pen met zwarte inkt gebruikt.

Ik pomp muntjes in de fotokopieerapparaten en haast me om de vergeelde papieren te kopiëren – alsof ik het zo snel moge- lijk moet doen, voordat ze verdampen, alsof ik die armzalige kopieën permanent maak, reëel, iets van deze wereld, door ze mee naar buiten te nemen.

Ik bekijk ze, ik heb geen idee of deze mensen familie van me zijn en het kan me ook eigenlijk weinig schelen. Al die do- cumenten bevatten een geschiedenis, een verhaal dat me fas- cineert.

```
Magdaline Bellman contra William H. Bellman

Echtscheidingsactie   onder   de   verklaring:
'Dat  de  beklaagde  op  de  14de  augustus  1923
aan  Hollywood  Crossing  in  Cedarhurst  Long
Island,  in  de  wijk  Queens  City  en  State  of
New   York   overspel   heeft   gepleegd   met   een
vrouw  wier  naam  de  eiseres  onbekend  is.  ...
Dat  uit  voornoemd  huwelijk  één  kind  is  gebo-
ren,  Howard  Bellman,  geboren  op  de  11de  fe-
bruari  1913.
```

De scheiding werd op 30 januari 1923 uitgesproken, met de bepaling dat William H. Bellman niet mocht hertrouwen zonder toestemming van de rechtbank. In januari 1934 wendt William Bellman zich tot de rechtbank met een verzoek om toestemming voor een tweede huwelijk, die hem wordt ver- leend.

Wist Magdaline Bellman echt niet hoe de vrouw heette met wie haar man naar bed was geweest, of was het een vorm van beleefdheid? En waar aan Hollywood Crossing speelde de affaire zich af – in een hotel? En is de straatnaam Hollywood Crossing niet ongelooflijk ironisch? Was de naamloze vrouw met wie William naar bed was geweest dezelfde met wie hij tien jaar later trouwde? En hoe is het Magdaline en haar zoon Howard verder vergaan? En zijn ze familie van me?

De ambtenaar op Chambers Street 31 had gelijk – de *in Re:*-zaken zijn de interessantste. Op de buitenste mappen staat een vervaagd stempel met grote rode letters: KRANKZIN-NIGHEID.

B. Kahn contra In Re: zaak 20101 1928

Bernhard Kahn, West 104th Street, geboren in Rusland, oud vierenvijftig jaar, is naar de Verenigde Staten getrokken, heeft in Chicago gewoond en werd op 19 mei 1928, toen hij een halfjaar in New York woonde, in het Manhattan State Hospital op Wards Island opgenomen.
Hij werd per ambulance uit het tiende district naar Bellevue gebracht.

De agent verklaart dat patiënt de brandkraan aan Lexington Avenue opendraaide en zei dat hij de ziektekiemen wilde wegwassen; de stad was vol malariabacteriën en de mensen werden allemaal krankzinnig; hij had zijn hoed weggeworpen omdat deze vol ziektekiemen en bacteriën zou zitten – was zeer spraakzaam.

In het bijzijn van de artsen zei de patiënt:
'Ik ben in het Cook County Hospital geweest
- ze hebben zoveel mensen uit ons vak meegenomen en gefolterd en vermoord - In Chicago was ik tegen de prohibitie - ik was tegen hoeren - We hebben bruine taxi's en gele
taxi's gehad - Drie miljoen mensen hebben
me in mijn stad, Chicago, gemarteld - Van
de psychopathie ben ik naar New York gegaan
- daar schrijven de joden over Hazenz - toen
hebben ze de bewakers gehaald die krankzinnig zijn - in drie vormen - volmaaktheid
bestaat niet - ik bewonder u - u bent volmaakt.'

Zou een van die zinnen in het bijzonder zijn lot hebben beze-
geld?

Toen ik deze zaak tegenkwam, heb ik even gedacht dat dit
misschien wel de geschiedenis van de overgrootvader van
mijn biologische moeder was, wat me op dat moment wel logisch leek. Nog steeds ergens wel, maar de data kloppen niet.
Ik vond het precies passen, totdat er natuurlijk iets langs-
kwam wat nog beter paste – de zaak-Benedict Kahn.

BENEDICT KAHN, eiser, contra JACK ROTHSTONE
en JOHN J. GLYNN in hun hoedanigheid van
executeurs testamentair inzake de nalatenschap van wijlen ARNOLD ROTHSTEIN, gedaagden.

Die zaak doet me onmiddellijk denken aan een zin in de autobiografie van Richard Bellman, *Eye of the Hurricane*, waarin de broer van zijn vader, Bernard 'Bunny' Bellman, 'met de dochter van de baas trouwde'. Voor het eerst heb ik een aanwijzing wat dat zou kunnen betekenen – ik denk namelijk dat deze zaak betrekking zou kunnen hebben op de grootvader van moederskant van mijn moeder, Benedict Kahn, en dat Bernard 'Bunny' Bellman het vak van Benedict Kahn heeft geleerd.

In deze zaak, tegen de erven van de beruchte gangster Arnold Rothstein, die op 4 november 1928 werd doodgeschoten, werd verklaard dat Benedict Kahn en zijn medevennoot Harry Langer – die zelf ook een aparte zaak aanspande voor 76.000 dollar – allebei geld aan Arnold Rothstein hadden geleend, dat ten tijde van diens dood nog niet was terugbetaald. De verklaring van Benedict Kahn luidt:

```
Ik ben de eiser in deze zaak. Ik heb deze
actie aangespannen om 21.000 dollar met de
daarop berekende rente terug te vorderen op
twee promessen met een gezamenlijke waarde
van 19.000 dollar en een cheque van 2.000
dollar.
```

Verder staat er:

```
Ik heb mij nimmer met Arnold Rothstein met
kansspelen ingelaten. Ik heb nimmer geld van
hem geleend. Hij en ik waren goede vrien-
den, en bij gelegenheid leende hij geld van
mij. Hij wist dat ik altijd over grote som-
men contant geld beschikte.
```

Nergens in deze documenten wordt uiteengezet hoe het kwam dat Kahn 'altijd over grote sommen contant geld beschikte'. Er viel niets tegenin te brengen, want de erven Rothstein hadden zich alleen kunnen verweren door te bewijzen dat het om een gokschuld ging en dat de vordering dus geen rechtskracht bezat.

Na veel geharrewar luidt de uitspraak 'dat de vordering van 21.000 dollar met rente aan eiser wordt toegewezen'.

Het feit dat de man die Ellens grootvader van moederskant lijkt te zijn, het lef had een zaak tegen de erven Rothstein aan te spannen, een man die wordt beschreven als 'de geestelijk vader van de georganiseerde misdaad in Amerika' en 'een crimineel genie', bewijst wel dat Benedict Kahn iemand moet zijn geweest die zowel door de erven als door de rechtbank serieus werd genomen – maar verder vind ik niets, behalve dan een grote belangsteling voor cijfers en gokken, die in latere generaties telkens weer opduikt.

En dan is er het trieste verhaal van de Bellman die zijn hoofd stootte – en niet zo'n beetje ook. Het gaat om een andere Henry – Henry Bellman dit keer, niet Hecht – maar om redenen die ik niet kan uitleggen ben ik ervan overtuigd dat ik ergens een biologisch familielid heb dat Henry heet.

```
Henry Bellman contra In Re: George Bellman
        contra Timken Silent Automatic Co.
```

Henry Bellman, geboren in Duitsland in 1902, in New York aangekomen in 1928, wordt in Bellevue opgenomen met klachten over slapeloosheid, hoofdpijn en overgevoeligheid voor licht. In aanwezigheid van de artsen zei hij:

```
Het ziet eruit alsof ze met licht in mijn
kamer schijnen en ik kan niet slapen. Ik
hoor ze praten. Ze lachen me uit. Ik ben in
drie, vier maanden vijf keer verhuisd. Ze
volgen me op straat. Ze maken me belache-
lijk. Ik heb ze l.l en k...zak horen zeg-
gen. Ik weet niet of ze me willen vermoor-
den. Hier zijn ze ook.
```

Hij werd in het Central Islip State Hospital opgenomen.

George Bellman spant als vertegenwoordiger van Henry Bellman een zaak aan tegen de Timken Silent Automatic Co. voor een schadevergoeding van 150.000 dollar en verklaart dat Henry, die nooit ziek of gewond is geweest, voor 8,80 dollar per dag als boorder werkte, en op 8 september 1934 op 1st Avenue, tussen 96th en 97th Street, door een vrachtwagen is aangereden. Die vrachtwagen, die een blok graniet moest ontwijken dat op de weg lag, botste op een andere auto, die in een greppel belandde, brak toen door een afzetting en schepte Henry Bellman, die daarop meer dan tien minuten bewusteloos is geweest. Zijn toestand, die zich aanvankelijk niet al te ernstig liet aanzien, werd steeds slechter. Zijn gezondheid ging achteruit en in juli 1935 begon Henry te klagen dat hij bespioneerd werd. De zaak werd aanvankelijk door Henry zelf aangespannen en daarna door de familie, die middelen nodig had om de broer een betere verzorging te kunnen bieden. Er werd geschikt voor 27.500 dollar, waarvan 13.750 dollar aan de advocaat werd betaald die de broer in de arm had genomen voordat zijn toestand zo verslechterde. De uitspraak werd op 8 april 1936 door rechter Edward R. Koch gedaan. Op het dossier staat een stempel KRANKZINNIGHEID.

Ik moet steeds denken aan het moeilijke leven van die immigranten, Bernhard Kahn, Henry Bellman en duizenden anderen. Ze hadden vaak onder moeilijke en angstige omstandigheden hun huis en hun familie in Europa moeten achterlaten. Met hun hele bezit ondernamen ze een zware reis naar een ver, mythisch land waarvan ze hoopten dat het het Land van de Onbegrensde Mogelijkheden was, alleen om daar een vreemde taal, discriminatie en moeilijke werk- en leefomstandigheden aan te treffen. Ik sta versteld van de veerkracht en de vastberadenheid van de meeste immigranten en het verbaast me dat er niet meer gek zijn geworden – ik denk weleens: dat kon toch haast niet anders?

Of Magdaline, William en hun zoon Howard, of Bernhard of Henry familie van me zijn of niet, ze zijn allemaal aan elkaar verwant door hun menselijkheid en door de verhalen die deze dossiers vertellen, en het is allemaal even krankzinnig. Ik vertel hun verhaal hier omdat ik de gedachte niet kan verdragen dat ze vergeten zouden worden.

Ik graaf verder, bij vlagen, ik stop en ga weer door, verzamel fragmenten van honderden levens. De biologische verwantschap wordt iets minder belangrijk – ik ben blij met alles wat ik tegenkom, duik in de geschiedenis en ontdek hoe al die mensen leefden en stierven en wat er in hun tijd zoal in de wereld speelde. Hoe zwaar het soms ook was, ik heb van het hele proces genoten; ik heb met verbijstering gezien hoe diep en uitgestrekt het World Wide Web is (al is het pas vijftien jaar oud) en ben blij dat ik gaandeweg zoveel verschillende mensen heb leren kennen. Mijn zoektocht neemt me niet meer zo totaal in beslag als eerst, de aanvankelijke urgentie heeft plaatsgemaakt voor een misschien wat gezondere, blijvende nieuwsgierigheid, die ongetwijfeld ook in de toekomst steeds weer de kop zal opsteken. En ja, het is troostend dat ik het beeld hier en daar heb kunnen invullen – dat ik namen en data heb gevonden en een globaal idee heb gekregen waar mijn familie en ik in de geschiedenis thuishoren. Ik kan de geboorte van Robert Slye in Engeland plaatsen, in de tijd van koningin Elizabeth.

Ik besef dat Friedrich Nietzsche in hetzelfde jaar is geboren als Jacob Spitzer, de vader van mijn dierbare grootmoeder Julia Beatrice, en dat in 1959, het geboortejaar van mijn broer Jon, de Dalai Lama uit Tibet naar India vluchtte en Alaska en Hawaï als laatste staten aan de Verenigde Staten van Amerika werden toegevoegd. In januari 1961, mijn geboortejaar, stond de Amerikaanse dichter Robert Frost tijdens de inauguratie van John F. Kennedy op om een nieuw gedicht voor te dragen, 'Kitty Hawk', maar hij was oud en broos en begon te hakkelen. Hij begon opnieuw en koos een ander gedicht, 'The Gift Outright'.

Norman Hecht als kind

Norman Hecht als
jongeman

Mijn vaders achterste

Ik heb mijn vader niet meer gesproken sinds die keer, eind 1998, dat hij zei: 'Bel me in de auto. Mijn vrouw zit niet vaak in de auto.'

In de zomer van 2005 besluit ik in het kader van mijn genealogische avontuur lid te worden van de Daughters of the American Revolution. Mijn motieven zijn niet politiek, maar persoonlijk. Ik wil lid worden van de DAR omdat dat een organisatie is die met afstamming te maken heeft – en een van de eerste dingen die mijn vader me over mezelf vertelde was dat ik in aanmerking kwam. En ik mag dan een onwaarschijnlijk soort lid van een dergelijke organisatie zijn, maar ik wil dit uitproberen, als deel van mijn biologische identiteit – ik wil van binnenuit zien wat ik níet ben. Mijn vrienden zijn geschokt; zij beschouwen de DAR als rechts en racistisch. In 1939 weigerde de DAR de zwarte zangeres Marian Anderson in de Constitution Hall in Washington te laten optreden (Anderson heeft daarna toch nog zes keer in de Constitution Hall gezongen). Ik leg uit dat ik mijn achtergrond wil begrijpen, dat ik dan niet alleen de dingen moet omarmen waar ik me prettig bij voel en dat mijn belangstelling in dit geval uitgaat naar het begrip afstamming. Ik wissel een paar e-mails met de voorzitster van de afdeling Port Tobacco, Maryland – de afdeling van de Slyes in Maryland. Ze stuurt me een formulier waarop de aanvraagster wordt verzocht terug te gaan in de tijd en documentatie te geven van de veertien generaties die haar verbinden met degene die 'de Patriotte' wordt genoemd.

Ik krijg de verzekering dat die documentatie te vinden is als ik de recentste informatie heb – het geboortebewijs van mijn vader en dat van mijzelf. Een complicatie: de naam van mijn vader staat niet op mijn geboortebewijs. En het geboortebewijs van mijn vader is wel bij het bevolkingsregister van Columbia op te vragen, maar alleen voor de naaste familie – identiteitsbewijs met foto vereist. Ik leg aan de DAR uit dat mijn ouders niet met elkaar getrouwd waren, dat ik geadopteerd ben en dat ik geen geboortebewijs met de naam van mijn vader heb, maar dat mijn vader en ik een DNA-test hebben laten doen om onze verwantschap aan te tonen. De DAR antwoordt dat het ze niet interesseert of mijn ouders getrouwd waren of niet, ze accepteren de DNA-test als bewijs. Dan nog een complicatie: ik heb geen kopie van de uitslag.

Waarom heb ik hem in juli 1993 niet om een kopie gevraagd toen we bloed lieten afnemen? Ik zou kunnen zeggen dat ik daar toen te verlegen voor was, maar in werkelijkheid voelde ik me op dat moment een kind – alsof ik terugging in de tijd. Het kostte me al moeite genoeg om een beetje mezelf te blijven. Ik wilde dat hij me aardig vond, ik wilde meer weten over wie ik was en waar ik vandaan kwam. Ik had het gevoel dat ik moest doen wat me gezegd werd. En al waren we in dat DNA-onderzoek gelijkwaardig, hij betaalde en weigerde mijn aanbod de kosten te delen. Ik voelde me geïntimideerd. Ik wilde niet moeilijk doen. Ik wilde niet weer worden afgewezen.

Ik stel me voor dat ik het hem ga vragen en voel me bij die gedachte nog steeds geïntimideerd. Het idee alleen al staat me tegen. En ik ben altijd bang dat mijn telefoontje te laat komt – dat hij dood is. En zelfs als hij niet dood is, wat moet ik dan zeggen – 'Hoi, ik wil lid worden van de DAR en ik heb een kopie van je geboortebewijs en van de DNA-test nodig?'

Ik stel me voor dat hij opneemt – met bevende stem – en dat hij zegt: 'Het komt nu niet goed uit, kan ik je later terugbellen?' En hoe zal ik me voelen als hij niet terugbelt? En als ik kans zie om te vragen wat ik wil en er valt een ongemakkelijke, loodzware stilte? Hoe ga ik dan verder? 'We hebben allebei in dat onderzoek toegestemd en dus hebben we allebei recht op de uitslag'? En als hij dan zegt: 'Daar denk ik anders over,' dan weet ik niet wat ik daarop moet antwoorden. 'Ik heb je nooit ergens om gevraagd, maar nu vraag ik je iets en ik hoop dat je erop terugkomt.'

Ik overweeg hem te bellen – in mijn verbeelding neemt zijn vrouw op, en ze is niet blij. Voor haar ben ik iemand die er niet hoort te zijn. Betekent dat dat ik niet besta, dat ik nooit bestaan heb, dat ik iets ben wat maar vergeten moet worden, wat niet moet worden opgerakeld, iets pijnlijks?

In gedachten bel ik hem, maar in werkelijkheid kan ik me er niet toe zetten de telefoon te pakken.

Ik vraag Marc, mijn advocaat – degene die hem jaren geleden heeft gebeld om hem te laten weten dat Ellen dood was – of hij hem wil bellen. Ik geef hem het nummer en zeg erbij dat zijn vrouw misschien opneemt. We bespreken wat hij moet zeggen. Hij belt mijn vader.

Zijn vrouw neemt op en mijn vader gaat met de telefoon naar een andere kamer. Hij zegt tegen mijn advocaat dat hij de uitslag niet geeft, dat hij hem niet eens heeft, dat hij hem aan zijn eigen advocaat in bewaring heeft gegeven. Marc krijgt te horen dat hij mijn vader niet meer moet bellen en dat verdere contacten via de advocaat van mijn vader moeten lopen. Marc belt de advocaat van mijn vader en die zegt dat hij de uitslag inderdaad heeft gekregen, maar dat hij er iets mee heeft gedaan – hij weet niet meer wat precies, maar we kunnen er dus niet bij. Marc zegt dat een verklaring van vaderschap ook goed is en krijgt te horen dat dat niet kan en dat hij die niet krijgt.

Het is misschien naïef van me, maar ergens had ik verwacht dat mijn vader op het verzoek van mijn advocaat zou zeggen: Ja, natuurlijk, en hoe gaat het met haar?

Als Marc belt om te vertellen hoe het is gegaan, stemt de snelle reactie me hoopvol. 'Ik heb je vader gesproken,' zegt hij en ik ben blij, in zekere zin zelfs trots, maar dan zegt hij: 'En dat verliep niet best', en mijn stemming zakt abrupt in. 'Hij weigert de informatie te geven en wil dat we geen rechtstreeks contact meer met hem opnemen.' We hebben het dus over mijn vader – mijn vader die zegt: Bel me niet meer terug. Heb ik iets verkeerds gezegd of is het alleen het feit dat ik besta?

Het idee dat mijn vader me heeft gevraagd in te stemmen met een DNA-test – me heeft gevraagd hem mijn geloofsbrieven te overhandigen – en me nu de uitslag daarvan weigert, zit me niet lekker. Dit heeft met macht en arrogantie te maken, en met het ontkennen van mijn recht op mijn eigen identiteit. Ik voel de morele verplichting – de sociale en politieke verplichting, die boven mijn persoon uitstijgt – om een betere uitkomst, een betere afloop af te dwingen.

'Wat had je eigenlijk verwacht?' vraagt een vriendin.

'Meer,' zeg ik.

'Dit is niets nieuws,' zegt ze. 'Dit ligt in de lijn. Kijk maar hoe hij je moeder heeft behandeld. Hij deugt niet.'

'Hij is mijn vader.'

'Daar ben je dan mooi klaar mee.'

Ik wacht tot die man doet wat hij hoort te doen. Wat ik van hem wil is geen geld, zelfs geen liefde – bij gebrek aan genegenheid wil ik alleen een context, een geschiedenis, de mogelijkheid te begrijpen hoe dit allemaal zo is ontstaan.

Zal ik ooit antwoord krijgen op mijn vragen: Waar hebben mijn grootouders van vaderskant elkaar leren kennen, hoe zijn ze tot elkaar gekomen, hoe kwam het dat de zoon van een joodse slager met een *Southern belle* trouwde?

En nu moet ik ook wijlen mijn moeder verdedigen. Mijn vriendin had gelijk. Dit heeft niets met mij te maken, het ligt aan hem, aan zijn manier van doen, de manier waarop hij mensen taxeert, alleen doet wat hij wil, wat hem goed uitkomt. Mijn moeder heeft geen leven meer gehad nadat ze me had afgestaan – ze is nooit getrouwd, heeft nooit meer kinderen gekregen. Ze had al heel jong alles in hem geïnvesteerd – en hij heeft haar gebruikt en is toen opgestapt. Dat is ze nooit te boven gekomen.

'De wet heeft niets met rechtvaardigheid te maken, dat besef je toch wel?' zegt een vriend.

Ik bel nog een vriendin, die Lanny Davis belt, een bekende advocaat in Maryland die onder Bill Clinton als buitengewoon adviseur voor het Witte Huis optrad. Ik herinner me Davis uit mijn jeugd, toen hij zich veelbelovend profileerde in de plaatselijke politiek. Ik heb een instinctief vertrouwen in hem en zet de situatie uiteen. Lanny biedt aan voor me te bellen; hij is ervan overtuigd dat ik het document wel krijg als hij de situatie en de reden van mijn verzoek aan mijn vader uitlegt.

'Er is vooralsnog geen reden om aan te nemen dat we verdere stappen moeten zetten.' Ik geef hem het nummer en zeg er weer bij dat die vrouw misschien opneemt. Hij belt me de volgende middag – geschokt. Mijn vader nam op, leek meteen al te weten waarvoor hij belde, nog voordat hij iets had gezegd, en weigerde bot. Lanny, die de gang van zaken heel nauwgezet beschreef, zei tegen hem: 'Ik ben benaderd door uw dochter, die me heeft gevraagd of ik wil overwegen haar te vertegenwoordigen, maar na haar verhaal te hebben aangehoord, hoop ik dat we dit kunnen oplossen zonder dat ik in mijn hoedanigheid als advocaat hoef te spreken.' Norman weigerde. 'Moet ik dan in mijn hoedanigheid als advocaat verdergaan? Moet ik contact opnemen met uw advocaat?' Mijn vader weigerde zelfs Lanny de naam of het telefoonnummer van zijn advocaat te geven – maar die had ik allebei al.

Lanny belde de advocaat van mijn vader. Die zei: 'U hebt geen poot om op te staan, u hebt niets, u hebt geen zaak en u krijgt het document niet.' Hij zei alleen maar nee, nee en nee. Lanny bracht voorzichtig onder zijn aandacht dat de kwestie publiek zou worden als hij een zaak aanspande. Hij was niet onder de indruk.

'Is er nog iets wat ik moet weten?' vroeg Lanny me. 'Kan er een bepaalde reden zijn waarom hij je die uitslag niet wil geven?'

'Ik kan maar twee dingen bedenken: óf hij is niet echt mijn vader, maar wilde destijds om wat voor reden ook dat hij dat was, óf hij is bang dat ik aanspraak maak op de erfenis.'

Lang geleden, toen hij niet meer met me praatte, dacht ik dat hij misschien bang was dat ik na zijn dood aanspraak zou maken op 'een stuk van de taart'. Ik leg Lanny uit dat ik die erfenis niet hoef en dat ik zelfs zou weigeren als ik iets kreeg.

Weer zit ik in mijn hoofd brieven te schrijven.

Beste Norman,

Meen je dit echt? Je schrijft je eigen geschiedenis. Je schildert een erg onflatteus portret van jezelf – wil je er niet op terugkomen?

Ik overleg met advocaten – iedereen is verbaasd. Zo moeilijk zou het toch niet hoeven te zijn?

'Is er misschien iets met je familie en de DAR? Iets wat je misschien niet weet? Iets wat onder de oppervlakte borrelt?' vraagt iemand.

Onder de oppervlakte borrelt alleen woede – withete woede. En daar weer onder een diep verdriet – een bodemloze teleurstelling dat hij niet tot meer in staat is, de situatie niet meester is, zich niet geroepen voelt met iets beters te komen.

Ik ga naar de rabbijn. Ik hoop op inzicht, een voorbeeld uit de Talmoed, wijsheid, een richtlijn voor mijn beslissingen. We praten lang over alles wat hierbij te winnen en te verliezen is – over het werkelijke belang van dat papiertje en over het totaalbeeld.

De rabbijn stelt voor dat ik een brief schrijf – een kort, simpel briefje: Ik wil je laten weten dat ik er zonder tegenbericht jouwerzijds van nu af aan van uit zal gaan dat jij mijn biologische vader bent en dat ik me dienovereenkomstig zal opstellen.

Hij stelt ook voor dat ik dat aan mijn advocaat voorleg. Dat doe ik, en de advocaat wijst me erop dat ik daarmee niets bewijs en dat ik daarna alleen maar kan wachten – en voor niets.

In mijn hoofd schrijf ik nog andere brieven:

Beste pa,

Mijn belangstelling voor de DAR heeft met genealogie en afstamming te maken en het kan niet zo zijn dat jij me ervan weerhoudt mijn plaats in een biologische lijn van honderden jaren in te nemen.

Je hebt me lang geleden beloofd me in je gezin op te nemen – en ik besef dat het leven, net als een familie, een gecompliceerd iets is. Wat ik vraag heeft niets met je gezin te maken, je zoons en dochters die in biologische zin niet meer of minder met je verwant zijn dan ik – ik vraag je om de schakel, zodat ik mijn eigen band met het verleden en met mijn voorouders van de afgelopen vierhonderd jaar kan creëren. Ik ben geïnteresseerd in de geschiedenis, de geschiedenis van alle families waar ik deel van uitmaak...

Pa –

Jij beschouwt jezelf als een gelovig man en een fatsoenlijk mens; ik zou denken dat een mens bij het ouder worden over zijn geloof ging nadenken, zich ging afvragen wat God van hem verwacht en of hij in zijn leven wel altijd juist heeft gehandeld. Ik ben erg optimistisch en vertrouwend, en ik blijf hopen dat we dit enigszins elegant kunnen oplossen.

Ouwe –

Neem de verantwoordelijkheid voor je daden, doe niet zo kleinzielig, wees een man.

Mijnheer,

U bent een oude man – wilt u geen rust, wilt u niet dat de mensen u goedgezind zijn?

Pa –

Oké dan. Dat zeg jij toch altijd in zo'n situatie?

178

De advocaten overleggen over de volgende stap – is er een manier om hem te dwingen het document te geven? Als we een procedure tegen hem aanspannen, wat verwijten we hem dan – contractbreuk? Oneigenlijk gebruik van de uitslag van het onderzoek? Hij heeft al die jaren meer dan vijftig procent van het gebruik gehad van een onderzoeksresultaat dat gezamenlijk eigendom was. Als hij me heeft voorgelogen toen hij zei: Ik wil dat je deze test doet zodat ik je in mijn familie kan opnemen, terwijl hij juist wilde dat de uitslag me uitdrukkelijk van zijn familie uitsloot – dan komt dat neer op bedrog. Heeft hij zich schuldig gemaakt aan bedrog?

'Waar is die test gedaan?' vraagt een van de advocaten.

'Het bloed is in Washington afgenomen.'

'Hoe heette het lab?'

'Dat weet ik niet meer. Ik weet niet eens of het wel een naam had – het was eigenlijk niet zozeer een lab, eerder een kantoor, een bloedinzamelpunt.'

'Misschien kun je de uitslag bij het lab zelf opvragen.'

Weer ben ik aan het graven. Ik zoek laboratoria die in 1993 al DNA-bloedonderzoek deden – voordat het een rage werd, voordat de duvel en z'n moer wilden weten welke figuren uit het verleden ze tot hun broeders konden rekenen. Ik ontdek Orchid Cellmark – marktleider in DNA-onderzoek – en bel.

'Met Jennifer,' zegt de stem van Orchid Cellmark.

'Hallo, ik probeer de uitslag van een DNA-test te achterhalen die ik in 1993 heb laten doen.'

Ik zeg 1993, maar ik had net zo goed 1903 kunnen zeggen – zo meedogenloos geavanceerd en a-historisch is de wereld waarin we nu leven.

'O, die hebben we niet meer. We bewaren niets langer dan vijf jaar,' deelt Jennifer me prompt mee.

'Wat doen jullie er dan mee?'

'Versnipperen,' zegt Jennifer. En ik geloof haar niet. Ik denk: Jennifer, zoiets kun je niet versnipperen – het zit in de computer. En dan verschijnen er beelden voor mijn geestesoog van laptops die in een gigantische versnipperaar worden geduwd.

'Bedankt,' zeg ik, en ik hang op. Ik probeer een ander lab.

Volgens Pat van LabCorp of America hebben zij de uitslag ook niet. 'We bewaren alles zeven jaar.'

'Wanneer bent u met DNA-onderzoek begonnen?'

'Momentje.'

Ik sta in de wacht met ingeblikte muziek in mijn oor. Ik sta heel lang in de wacht en de gedachte komt bij me op dat ze me zomaar in de wacht heeft gezet en aan de andere kant uit haar neus zit te vreten. De gedachte komt bij me op dat ze misschien wel niet meer terugkomt. 'Het eerste bedrijf op het gebied van DNA-onderzoek,' zegt het achtergrondbandje.

'Negentieneenentachtig,' zegt ze als ze eindelijk terug is. Er is iets vreemd kouds en zelfvoldaans aan de manier waarop die mensen zeggen: 'Dat hebben we niet meer,' alsof ze geen idee hebben wat dat betekent, alsof het ze niets kan schelen, alsof ze er een enorm, pervers genoegen aan beleven om de prullenbak op hun computerscherm te legen. Hup – weg, weg ermee.

Een van de advocaten vraagt of ik brieven van hem heb. Ik denk dat ik misschien nog wel ergens een verjaarskaart heb. Zou er genoeg DNA op de envelop zitten voor een nieuwe test? En als hij nog niet in de databank zit, hoe kunnen we dan iets bevestigd of ontkend krijgen?

Weer overleggen de advocaten. We hebben het erover dat ik zijn naam nooit in het openbaar heb genoemd, de informatie nooit heb gepubliceerd. Ik vraag me af of mijn vader zich realiseert dat ik tot nu toe nooit iemand heb verteld wie hij is. In het stuk dat de aanzet voor dit boek was, een groot artikel voor de *New Yorker* uit 2004, heb ik hem zelfs uitdrukkelijk afgeschermd. Daarin heb ik Norman 'Stan' genoemd en Ellen 'Helene'. Ik vraag me af of Norman wel weet dat dat stuk voor de *New Yorker* zo overtuigend was dat ze me, toen het tijd werd om de feiten in het artikel te checken, nog hebben gemaild om het telefoonnummer van 'Stan' te vragen. 'Mijn vader heet niet echt Stan,' heb ik toen uitgelegd. Maar weer vroegen ze zijn naam en zijn telefoonnummer. Ik heb ze laten weten dat ik die nooit aan iemand had gegeven en dat ik dat ook niet kon doen.

Pas toen ze eerst dreigden het artikel niet te publiceren en het daarna inderdaad een tijdje onder zich hebben gehouden, begon ik me af te vragen waarom ik mijn reputatie op het spel zou zetten om de identiteit te beschermen van iemand die zich nooit iets aan mij gelegen had laten liggen. Toch leek het me niet nodig dat ze hem lastigvielen. Ze drongen aan. De *New Yorker* bouwt bij het checken een dubbele zekerheid in: als de identiteit van de persoon in kwestie geheim moet blijven, moet hij niet alleen voor anderen, maar ook voor zichzelf onherkenbaar worden gemaakt. En mijn vader weet zelf dat hij mijn vader is, dus had ik te veel prijsgegeven.

Door de manier waarop de redactie het stuk afwees – alsof ze me niet geloofden – voelde ik me als persoon afgewezen. Voor de eerste keer in jaren kreeg ik het gevoel dat mijn bestaansrecht in twijfel werd getrokken. Doordat er vraagtekens bij het waarheidsgehalte van mijn verhaal werden geplaatst, kwam ik in een soort vrije val terecht. Ik had nooit de behoefte gehad mijn vader te ontmaskeren – maar tegelijk vroeg ik me af waarom ik hem met alle geweld wilde beschermen. Uiteindelijk heb ik de New Yorker zijn nummer gegeven. Ik heb geen idee wat er bij het gesprek tussen het blad, mijn vader en zijn advocaat is gezegd. Ik had gevraagd of ik er als getuige bij mocht zijn, maar dat werd door het blad geweigerd. Ik heb begrepen dat er vijfendertig vragen waren die ze hem wilden stellen; die hebben ze mijn vader en zijn advocaat voorgelegd – en mijn vader en zijn advocaat hebben geweigerd er zelfs maar één te beantwoorden. Het stuk is in december 2004 in de New Yorker verschenen.

Ik overleg met mijn advocaten over de lidmaatschapsaanvraag bij de DAR – meer dan één van hen oppert dat de advocaat van mijn adoptieouders misschien een kopie van mijn oorspronkelijke geboortebewijs heeft, want het was een ondershandse adoptie, mijn moeder heeft de papieren nooit getekend en iemand moet bij de rechtbank toch een kopie van het oorspronkelijke geboortebewijs hebben overgelegd.

De advocaat die ik moet bellen is dezelfde die in 1992 mijn ouders heeft gebeld toen Ellen contact met hem had opgenomen, dezelfde die de brieven van Ellen had opengemaakt, de naam van mijn vader had herkend en Ellen had gebeld om te zeggen: als je háár (mij dus) die informatie geeft, kun je dat maar beter ook aan hém laten weten.

Als ik zijn privénummer bel, voel ik steken in mijn hartstreek. Zijn vrouw neemt op – ze aarzelt als ik vraag of ik hem mag spreken. 'Mag ik vragen wie u bent?'

'A.M. Homes.'

'En waar gaat het over, als ik vragen mag?'

Ik leg het uit. 'Meneer Frosh heeft in 1961 mijn ouders geholpen de adoptie rond te krijgen. Het betrof een ondershandse adoptie en ik heb hem een jaar of wat geleden gesproken toen mijn biologische moeder me via hem probeerde te bereiken – en nu heb ik een paar vragen.'

Er valt een stilte. 'Hij is niet helemaal in orde.'

'Wat naar,' zeg ik, en ik vraag me af wat dat betekent – weer, altijd, de angst dat ik te laat bel.

'Hij is zevenentachtig, en er zijn dagen dat hij alles weet, maar ook dagen dat hij zich niets kan herinneren. Ik zal hem vragen wanneer hij u te woord kan staan.'

'Dank u,' zeg ik. 'Ik zoek eigenlijk het dossier, een kopie van het dossier.'

'Misschien kan mijn zoon Brian u helpen.'

'Ja,' zeg ik, 'als hij het kan vinden, zou dat geweldig zijn. Toen mijn biologische moeder belde, had ze eerst Brian gebeld.' (Brian is ook advocaat.)

Dan vertelt ze me een verhaal over iemand, misschien haar dochter, misschien een buurvrouw, die twee Roemeense kinderen had geadopteerd. Maar op dat moment lijd ik aan selectieve doofheid. Ik zit te tobben over de mogelijkheid dat ik de informatie niet krijg. Ik wil al bijna vragen: weet u waar hij zijn papieren bewaart? Liggen die ergens opgeslagen? Maar dan zeg ik: 'En is het in orde gekomen?' En ik geloof dat ze toen ja zei, en ik zeg iets als: 'Mooi. Of het nu goed of slecht afloopt, interessant is het is in elk geval altijd, niet?'

'Hebt u een goed leven?' vraagt ze dan, alsof ze wil weten of het met mij in orde is gekomen.

'Een goed leven? Ja,' zeg ik, en dat is wel én niet waar. Ik heb een geweldig leven. 'Ik heb het erg getroffen. Ik heb een geweldig leven.' En het is tegelijk waar dat ik lijd, anders had ik haar niet gebeld. 'Alles is goed,' zeg ik.

'Mooi,' zegt ze. 'Ik wens u een goed leven toe.'

Ik neem contact op met de zoon van de advocaat, Brian Frosh, die nu senator van Maryland is. We mailen, ik vertel over mijn gesprek met zijn moeder en herinner hem aan het telefoontje van Ellen dat hij jaren geleden heeft onderschept. Ik vraag hem of hij naar het dossier wil zoeken als hij weer eens bij zijn ouders is. Hij is ongelooflijk hoffelijk en begripvol. We wisselen verhalen uit over bejaarde ouders en bezorgdheid, over geschiedenis die verloren gaat. Brian Frosh gaat speciaal voor mij bij zijn ouders langs om het dossier te zoeken – hij kijkt overal, maar vindt niets.

De mogelijkheden beginnen uitgeput te raken.

De vraag blijft open of we naar de rechter moeten stappen om te proberen mijn vader zo te dwingen het DNA-document of een beëdigde verklaring te geven. Het lidmaatschap van de DAR is niet van essentieel belang voor mijn gezondheid en mijn welzijn, maar het idee dat mijn vader – of wie dan ook – kan beslissen of iemand al dan niet toegang tot haar voorgeschiedenis heeft, zit me dwars. Het gaat eigenlijk niet om de DAR, maar om de rechten van geadopteerde kinderen op hun geschiedenis en hun biologische afstamming – en daarom wil ik het er niet bij laten zitten.

Ik moet er weer aan denken dat mijn vader me om die DNA-test vroeg en later weigerde me het document met de uitslag te geven of een beëdigde verklaring te ondertekenen, dat hij weigerde mijn bestaan te erkennen. Ik denk aan mijn vader, en dan komt Ellen me weer in gedachten – ze is als tiener voor hem gevallen, is zeven jaar lang zijn minnares geweest en werd toen zwanger van hem. Ik denk aan Ellen en aan de manier waarop mijn vader zich heeft gedragen – hij beloofde haar van alles, hield haar aan het lijntje en liet haar uiteindelijk in de steek.

Er is niets veranderd. Meer dan veertig jaar later gedraagt hij zich nog net zo als altijd. Hij doet wat hém het beste uitkomt, denkt alleen aan zijn eigen wensen en behoeften. Ik zie mijn moeder als puber die verliefd werd op een oudere man, als jonge vrouw die haar kind moest afstaan en de rest van haar leven in de schaduw van dat verlies heeft geleefd, een vrouw die nooit een eigen gezin heeft gehad, die zich nooit werkelijk heeft hersteld – en namens haar ben ik woedend op hem.

Dit gaat niet alleen over de DAR – zoveel is wel duidelijk. Ik wou dat er meer was geweest: een vader-dochterrelatie, een vriendschap. Ik wou dat ik meer over de mensen in zijn familie (mijn familie) wist – waar ze vandaan komen, wat voor leven ze hebben gehad, wat ze belangrijk vonden. Ik had zijn kinderen graag leren kennen, had graag geweten wat we gemeen hebben, wat het betekent om bloedverwanten te hebben. En ik was graag uit de schaduw getreden, om als persoon, als volwassen mens te worden gezien in plaats van alleen als het product van een overspelige verhouding – als iemand die niet meer of minder aan hen verwant is dan zij aan elkaar.

Het is nergens op gebaseerd, alleen op mijn eigen blinde vertrouwen, maar ik ben voorzichtig optimistisch en denk dat er toch wel een natuurlijke oplossing zal komen, dat Norman zijn standpunt bijstelt. Ik besluit voorlopig niets te doen, het even aan te zien, af te wachten en mezelf de kans te geven tot rust te komen en te kijken waar het verhaal heen gaat.

Het lijkt wel een aflevering van L.A. Law

Verklaring – eigenaardig woord. Het betekent 'opheldering, verduidelijking' en ook 'depositie, getuigenis onder ede, belofte, manifest' – een schriftelijke mededeling van een getuige voor gebruik door de rechtbank, ook in zijn of haar afwezigheid.

Verklaring – ik overweeg mijn vader voor de rechter te slepen om te bewijzen dat hij mijn vader is, en die formulering – mijn vader voor de rechter slepen om te bewijzen dat hij mijn vader is – doet net zo surrealistisch aan als het moment dat mijn moeder me vertelde dat mijn moeder dood was. Mijn vader voor de rechter slepen – ik stel me voor hoe de zaak op de rol wordt gezet, hoe er een dagvaarding bij hem wordt bezorgd waarop staat dat hij om die en die tijd daar en daar moet verschijnen. Ik stel me een man voor die we geen van beiden kennen, iemand wiens werk het is ons vragen te stellen.

Meneer Hecht, voordat we beginnen wil ik u erop wijzen dat een zitting uiterlijk zeven uur per etmaal mag duren, en zoveel dagen als er nodig zijn om deze vragen te stellen en te beantwoorden, en dat de vragen betrekking zullen hebben op uw doen en laten in de afgelopen vierenveertig jaar – want zo oud is ze nu, de dochter in kwestie.

Het verloop van de procedure. Wij zullen u vragen een kopie van uw geboortebewijs over te leggen, alsmede een kopie van de uitslag van het DNA-onderzoek dat u en mevrouw Homes gezamenlijk hebben laten verrichten. Aangezien een mogelijke getuige iedereen kan zijn die inlichtingen kan verschaffen over de zaken die hier ter beoordeling staan, of die inlichtingen kan verschaffen die tot de betreffende inlichtingen kunnen leiden, zullen we ook uw echtgenote en uw kinderen oproepen. In tegenstelling tot een strafrechtelijke procedure, waarbij de rechter kan beslissen dat een vraag niet ter zake doet, kunnen in een civielrechtelijke procedure ook niet ter zake doende vragen worden gesteld en geruchten worden onderzocht.

Hebt u dat begrepen?

Hebt u al eens eerder een verklaring onder ede afgelegd?
   Bent u zich ervan bewust dat u onder ede staat en gehouden bent de waarheid te spreken?
   Bent u bereid mijn vragen te beantwoorden?
   Is er iets wat we over uw lichamelijke toestand moeten weten – gebruikt u medicijnen die het u onmogelijk kunnen maken de vragen volledig en naar waarheid te beantwoorden?
   Als u behoefte hebt aan een korte pauze, laat u me dat dan weten.

Wat is uw volledige naam?
   Wat is uw geboortedatum en uw geboorteplaats?
   Wat is de volledige naam van uw beide ouders en wat is hun geboortedatum en geboorteplaats?

Meneer Hecht, weet u waarom we hier zijn en waar het om gaat?

In 1993 hebt u mevrouw Homes verzocht mee te werken aan een D N A-onderzoek waarbij D N A van uzelf en van mevrouw Homes genetisch zou worden vergeleken om te bewijzen dat u inderdaad haar vader bent. De uitslag van dat onderzoek luidde dat er een kans van 99,9 procent bestaat dat u haar vader bent, en toen mevrouw Homes u onlangs om een kopie van die uitslag vroeg, hebt u geweigerd haar die te geven – is dat juist?

U hebt mevrouw Homes verzocht aan dat onderzoek mee te werken, maar u bent niet van mening dat beide partijen recht hebben op toegang tot de uitslag. Waarom niet?

Hebben beide partijen in gelijke mate aan het onderzoek meegewerkt?

U hebt het onderzoek betaald, meneer Hecht – dat verliep niet helemaal zonder problemen, klopt dat? U had de afspraak voor het onderzoek in juli 1993 gemaakt, mevrouw Homes was uit New York naar Washington gekomen en u ontmoette elkaar in het laboratorium, maar u had geen rekening gehouden met de voorgeschreven betalingswijze met een door de bank gefiatteerde cheque aan toonder, zodat u de volgende dag moest terugkomen – is dat juist?

Bij de afspraak bood mevrouw Homes aan het onderzoek te betalen of de kosten met u te delen, is dat juist?

Als het u om het geld gaat – de kosten van deze procedure, ook al zou die zich tot vandaag beperken, zijn veel hoger dan die van het onderzoek. Begrijp ik goed dat het dus niet om het geld gaat?

Hoe zou u uzelf beschrijven, meneer Hecht?

Zou u uzelf beschrijven als de vader van een gezin?

Valt er meer over u te zeggen dan dat u zakenman in ruste bent?

Hebt u een goed contact met uw gezin?

Bent u praktiserend gelovig?

U hebt een zoon met dezelfde voornaam als u – wat betekent die naam voor u?

Wat is uw identiteit, meneer Hecht?

Hebt u altijd geweten wie u was?

Bent u ooit gearresteerd?

Bent u ooit beschuldigd van een misdrijf?

Kunt u voor het dossier alle vorderingen en procedures opsommen die er in uw leven tegen u zijn ingediend en aangespannen?

Wat was uw eerste betrekking, waar was dat en hoe oud was u toen?

En uw laatste – bent u ontslagen, is u verzocht uw ontslag in te dienen?

Voelt u zich persoonlijk verantwoordelijk?

Beschouwt u zichzelf als iemand die veel regelt?

Heeft iemand u weleens aangeduid als een 'grote baas'?

Beschouwt u zichzelf als gemiddeld?

Ongeveer even ambitieus als uw collega's en bekenden?

Hebt u een opleiding voltooid?

Bent u in militaire dienst geweest? Hebt u weleens iemand gedood?

Waar bent u opgegroeid, meneer Hecht?

Hoe zou u uw jeugd omschrijven?

Door wie bent u opgevoed?

Waarom woonde u bij uw grootouders – waar waren uw ouders toen?

Hoe hebben uw ouders elkaar leren kennen?
Wat voor werk deed uw vader?
Hoe zou u uw relatie met uw vader omschrijven?
Had u een hechte band met hem?
Hield hij van u?
Gelooft u dat het waar is dat jongens een inniger contact met hun moeder hebben en meisjes juist met hun vader?

Bent u trots op uw familiegeschiedenis?
Onderhoudt u contact met organisaties die zich met genealogie en afkomst bezighouden?
Van welke clubs of verenigingen bent u lid?
Bent u weleens geweigerd als lid van een club of vereniging?

Waar komt de naam Hecht vandaan?
Was uw vader joods?
Heeft hij een joodse opvoeding gehad?
Beschouwde de familie van uw moeder u als joods?
Had uw grootvader van vaderskant een koosjere slagerij?
Waarom bezat uw grootmoeder van vaderskant een geweer?

Zou u uzelf als filantropisch omschrijven?
Geeft u geld aan charitatieve instellingen?
Doet u vrijwilligerswerk?
Drinkt u?
Gebruikt u weleens drugs?
Hebt u weleens marihuana gerookt?
Weleens peppillen geslikt?
Weleens cocaïne gebruikt?
Weleens Viagra geprobeerd?

Waar hebt u uw vrouw ontmoet?

Hoe oud was u toen u trouwde?

Hebt u voor het huwelijk gemeenschap gehad?

Was uw vrouw nog maagd?

En u?

Hebt u weleens een seksueel overdraagbare aandoening gehad?

Wanneer hebt u voor het laatst gemeenschap gehad, meneer Hecht?

Met wie?

Zou u zeggen dat er in uw huwelijk sprake was van een goed seksleven?

Hebben u en uw vrouw het weleens over een open huwelijk gehad?

Dus aanvankelijk wist zij niet dat u een seksuele relatie met mevrouw Ballman had?

Was de relatie met mevrouw Ballman uw eerste buitenechtelijke relatie of had zoiets al eerder plaatsgevonden?

Hoe heeft uw vrouw uw relatie met mevrouw Ballman ontdekt?

Wat zijn de volledige namen van uw kinderen?

Weet u hun geboortedata uit uw hoofd?

Hebt u naast mevrouw Homes nog andere buitenechtelijke kinderen?

Is het mogelijk, meneer Hecht, dat er nog andere kinderen zijn?

Hoeveel buitenechtelijke relaties hebt u gehad?

Hoe lang duurden die?

Was uw echtgenote tegelijk met mevrouw Ballman zwanger?

Hoe oud was mevrouw Ballman toen u haar ontmoette?

Hoe zou u haar uiterlijk beschrijven – haar verschijning?

Wist u dat ze minderjarig was?

Onder welke omstandigheden vond de ontmoeting plaats?

Was u de eigenaar van de Princess Shop?

Hoe lang heeft mevrouw Ballman voor u gewerkt?

Wanneer begon uw seksuele relatie met haar?

Onder welke omstandigheden is die begonnen?

Was ze nog maagd?

Zou u zeggen dat u een gemiddeld libido hebt?

Was mevrouw Ballman nymfomaan?

Was ze lesbisch?

Hebt u ooit tegen mevrouw Homes gezegd dat Ellen Ballman nymfomaan was, en bij een andere gelegenheid dat ze lesbisch was?

Hielden uw vrienden er ook vriendinnetjes op na?

Hoeveel van uw vrienden kenden mevrouw Ballman?

Was u bang dat mevrouw Ballman ook met andere mannen betrekkingen onderhield – met uw vrienden?

Hoe oud was mevrouw Ballman toen uw seksuele relatie met haar begon?

Wat kan een jong meisje in de jaren vijftig hebben bewogen om haar ouderlijk huis te verlaten en een relatie met een getrouwde man te beginnen?

Heeft Ellen Ballman ooit aangegeven dat ze werd lastiggevallen?

U hebt tegen mevrouw Homes gezegd dat mevrouw Ballman u iets heeft meegedeeld wat erop wijst dat er in haar ouderlijk huis bepaalde dingen voorvielen en dat u misschien beter had moeten luisteren.

Hebt u mevrouw Ballman gebruikt?

Gebruikte u voorbehoedsmiddelen?

Heeft mevrouw Ballman uw familie ontmoet – uw moeder?

Uw kinderen?

Uw echtgenote?

Onder welke omstandigheden heeft uw oudste zoon contact met mevrouw Ballman gehad?

Wanneer besefte u dat u verliefd was op mevrouw Ballman?

Was u wel of niet verliefd op mevrouw Ballman?

Geloofde zij dat u verliefd op haar was?

Hebt u haar herhaaldelijk ten huwelijk gevraagd?

Hoewel u al getrouwd was, meneer Hecht, hebt u mevrouw Ballman op haar zeventiende ten huwelijk gevraagd – u hebt haar moeder gebeld en gevraagd of u met haar mocht trouwen, klopt dat?

Hoe had u dat aan uw vrouw willen uitleggen?

Gelooft u in polygamie, meneer Hecht?

Hoe en wanneer heeft uw vrouw ontdekt dat u een relatie met mevrouw Ballman had?

Wist uw vrouw hoe oud mevrouw Ballman was?

En wat hebt u tegen uw vrouw gezegd? Ik herinner u er nogmaals aan dat u onder ede staat en dat we uw vrouw dezelfde vraag zullen stellen.

Heeft uw vrouw weleens overwogen van u te scheiden?

Is echtscheiding strijdig met haar geloof?

Hebben u en uw vrouw dezelfde geloofsovertuiging?

Bent u godsdienstig, meneer Hecht?

Gelooft u in het hiernamaals, meneer Hecht?

Wat waren uw bijnamen voor mevrouw Ballman?

Was 'Drakenvrouw' daar één van?

Waar kwam die naam vandaan? Was het een grapje tussen u?

Heeft mevrouw Ballman u laten arresteren wegens verlating?

Toen mevrouw Ballman zwanger was, hebt u haar naar Florida gestuurd en tegen haar gezegd dat u daar bij haar zou komen wonen, maar u bent nooit komen opdagen, klopt dat?

En was uw echtgenote in dezelfde tijd zwanger als mevrouw Ballman?

Dan zult u zich wel heel vruchtbaar hebben gevoeld?

Hebt u mevrouw Ballman later tijdens de zwangerschap bij haar moeder thuis bezocht?

Hebt u toen aangeboden samen met haar babyspullen te gaan kopen?

Hebt u mevrouw Ballman uitgenodigd voor een bijeenkomst met u en uw advocaat en is bij die gelegenheid gezegd: 'Van een taart kun je een bepaald aantal stukken snijden en dan houdt het op'?

Hebt u uw echtgenote of mevrouw Ballman gevraagd abortus te overwegen?

Kunt u zwemmen, meneer Hecht?

Ik vroeg me af of er in die periode niet een moment is geweest dat u het gevoel kreeg dat u kopje-onder ging. Dat u verdronk.

Wanneer hebt u mevrouw Ballman voor het laatst zwanger gezien? In welke maand was dat?

Is u ooit gevraagd een document inzake het kind te ondertekenen?

Is mevrouw Ballman ooit getrouwd?

Bent u trots op uw dochter, meneer Hecht?

Bent u trots op mevrouw Homes?

Hebt u haar werk gelezen?

Hebt u uw dochter weleens gevraagd in een hotel met u af te spreken?

Waarom niet in een restaurant?

In welke sfeer liggen uw gedachten over uw dochter?

Wist uw vrouw wanneer en waar u uw dochter ontmoette?

Als u met een van uw andere kinderen had afgesproken, zou ze dat dan hebben geweten?

Bent u besneden?

Is dat algemeen bekend?

Weet uw andere dochter het?

Waarom hebt u dit aan mevrouw Homes meegedeeld?

Hoe zijn uw andere kinderen erachter gekomen dat ze een zuster hadden?

En hoe reageerden ze toen op die ontdekking?

Beschouwt u uzelf als een goede vader?

Laten we een stukje in de tijd teruggaan...

Hebt u in mei 1993 een recensie van het boek van mevrouw Homes in de *Washington Post* gelezen en hebt u haar in New York gebeld?

Wat was de aanleiding tot dat telefoongesprek?

Zou u mevrouw Homes ook hebben gebeld als ze geen succesvolle, bekende persoonlijkheid was geweest?

Hebt u enkele dagen daarna afgesproken elkaar in Washington te ontmoeten?

Was er nog iemand anders bij die ontmoeting aanwezig? Is de ontmoeting vastgelegd of op andere wijze opgenomen of gevolgd?

Hoe reageerde u toen u mevrouw Homes ontmoette?

Was u verrast door de uiterlijke gelijkenis toen u haar ontmoette?

Lijkt ze meer op u dan uw andere kinderen?

Ondanks de uiterlijke gelijkenis die bij die ontmoeting opviel, hebt u mevrouw Homes gevraagd mee te werken aan een DNA-onderzoek – u zei dat u er zelf niet aan twijfelde dat zij uw kind was, maar dat uw echtgenote erop stond en dat u mevrouw Homes zonder dat onderzoek niet in uw gezin kon opnemen. Is dat juist?

Wat was de reden dat u vraagtekens plaatste bij uw vaderschap van mevrouw Homes?

Nadat er bloed was afgenomen, toen u met mevrouw Homes naar buiten liep, zei u tegen haar dat u haar iets wilde geven – toch hebt u haar niets gegeven, is dat juist?

Wat had u haar willen geven?

Was het iets wat aan uw moeder had toebehoord? Een familie-erfstuk?

Een aantal maanden later belde u mevrouw Homes om haar mee te delen dat u de uitslag van het onderzoek had ontvangen – hebt u mevrouw Homes toen gevraagd u opnieuw in een hotel in Maryland te ontmoeten?

Bij die ontmoeting deelde u mevrouw Homes mee dat u inderdaad haar vader bent – dat de uitslag van het DNA-onderzoek luidde dat dit voor 99,9 procent zeker was – en hebt u gevraagd: 'Wat zijn mijn verantwoordelijkheden?'

Hoe stelde u zich die verantwoordelijkheden zelf voor?

Wat waren uw voornemens ten opzichte van mevrouw Homes toen u haar verzocht mee te werken aan het onderzoek?

Hebt u uw belofte haar 'in uw gezin op te nemen' gestand gedaan?

Hebt u de uitslag van het onderzoek met iemand anders besproken voordat u die aan mevrouw Homes meedeelde?

Hebt u met uw vrouw over de uitslag gesproken?

Waarom hebt u mevrouw Homes geen kopie van de uitslag aangeboden?

Wat hebt u met de uitslag van het onderzoek gedaan?

Wanneer hebt u uw advocaat het origineel ter hand gesteld?

Hebt u zelf een kopie bewaard?

Geeft u altijd het enige origineel van een belangrijk document aan uw advocaat?

Wilde u het niet in uw kluis bewaren omdat u wilde voorkomen dat uw echtgenote het vond?

Maar had u niet tegen mevrouw Homes gezegd dat uw echtgenote juist degene was die op het onderzoek had aangedrongen voordat u mevrouw Homes 'in uw gezin kon opnemen'?

Wilde uw echtgenote dat mevrouw Homes meewerkte aan het DNA-onderzoek omdat u mevrouw Ballman tegenover uw echtgenote als een sloerie had afgeschilderd om uzelf als haar slachtoffer voor te stellen?

Hebt u een ontmoeting tussen uw oudste zoon en mevrouw Homes gearrangeerd?

Hoe verliep die ontmoeting?

Was uw zoon blij dat hij meer te weten kwam over iets wat voor hem nog slechts een vage jeugdherinnering was – zijn ontmoetingen met mevrouw Ballman?

Waren er in de kinderjaren van uw oudste zoon veel spanningen bij u thuis?

Bij welke gelegenheid heeft uw echtgenote mevrouw Homes ontmoet?

Is er een bepaalde reden waarom uw vrouw mevrouw Homes niet sympathiek zou vinden?

Waarom zei u later tegen mevrouw Homes dat het tussen haar en uw vrouw 'niet echt klikte'?

Heeft mevrouw Homes u ooit ergens om gevraagd?

Vreest u dat mevrouw Homes aanspraak op uw erfenis zal maken?

Heeft ze ooit blijk gegeven van belangstelling voor uw erfenis?

Hebt u haar verzocht aan het D N A-onderzoek mee te werken om de mogelijkheid te creëren haar expliciet als erfgename uit te sluiten?

Wanneer hebt u mevrouw Ballman voor het laatst gesproken?

Wat was de strekking van dat telefoongesprek?

Hebt u mevrouw Ballman de maanden voor haar dood nog gezien?

Was uw vrouw ervan op de hoogte dat u haar zag?

Hoe zag ze eruit? Was ze nog aantrekkelijk?

Heeft mevrouw Ballman u verzocht aan mevrouw Homes te vragen of ze haar een nier wilde afstaan?

En wat hebt u toen tegen mevrouw Ballman gezegd?

Hebt u later tegen mevrouw Ballman gezegd dat u het inderdaad aan mevrouw Homes had gevraagd en dat zij had geweigerd?

Is de gedachte weleens bij u opgekomen dat mevrouw Homes niet op de hoogte was van de toestand van mevrouw

Ballman en dat zij niet de gelegenheid heeft gehad om afscheid te nemen?

Hebt u aan uw eigen arts gevraagd of het mogelijk was een nier af te staan voor mevrouw Ballman?

Hebt u tegen mevrouw Homes gezegd dat u dat had gedaan?

En wat zou uw vrouw daarvan hebben gevonden – zou u de operatie hebben laten verrichten zonder het haar te laten weten?

Wist u dat mevrouw Ballman stervende was?

Hoe voelde u zich toen u vernam dat mevrouw Ballman was overleden?

En uw laatste telefoongesprek met mevrouw Homes – een aantal maanden na het overlijden van mevrouw Ballman – hoe verliep dat?

Hoe eindigde het? Hebt u gezegd dat zij u altijd mocht bellen? 'Bel me in de auto. Mijn vrouw zit niet vaak in de auto?'

Waarom zou mevrouw Homes u in de auto moeten bellen en niet thuis?

Wordt u bedreigd of in uw vrijheid beperkt, zodat u niet mag of kunt bellen of schrijven en geen telefoon of post mag of kunt ontvangen?

Bent u kwaad op mevrouw Homes?

Toen de advocaat van mevrouw Homes u uit New York belde – dezelfde die u meedeelde dat mevrouw Ballman was overleden – om u om een kopie van de onderzoeksuitslag te vragen, hebt u toen tegen hem gezegd dat hij niet meer moest bellen en hebt u hem naar uw advocaat verwezen?

De heer Glick heeft uw advocaat gebeld, die hem meedeelde dat het D N A-document in het ongerede was geraakt en dat u niet bereid was een verklaring van vaderschap te tekenen.

Wist u dat de onderzoeksuitslag bij de heer Smith in het ongerede was geraakt?

Vreest u niet dat er nog andere belangrijke documenten zijn zoekgeraakt of verkeerd opgeborgen?

Lijkt het u niet wat al te toevallig dat het document onvindbaar is, juist nu mevrouw Homes erom vraagt?

Hebt u kinderen, en nu ook kleinkinderen? Lijken die op u, meneer Hecht?

U hebt ook geadopteerde kleinkinderen. Lijken die ook op u?

Hebben zij het recht te weten wie ze zijn – waar ze vandaan komen?

Waarom wil mevrouw Homes dit document hebben, begrijpt u dat?

Als mevrouw Homes biologisch aan u verwant is, waarom zou zij dan niet op dezelfde manier worden behandeld als uw andere, eveneens biologische kinderen? Waarom zou zij minder rechten hebben?

Komt u dat rechtvaardig voor? Bent u een rechtvaardig man? Bent u eerlijk?

Zou u voor het dossier uw naam nog even willen herhalen?

En, meneer Hecht, zou u ook voor het dossier de namen van al uw kinderen willen opnoemen?

Jon Homes, Jewel Rosenberg en A.M. Homes

Oma's tafel

Jewel Rosenberg, mijn grootmoeder, de moeder van mijn adoptiemoeder, grote stijl, grote mond, wijs. Zij is in zekere zin de oorzaak en de reden van dit boek. Ik weet niet zeker of ik zonder haar wel schrijfster zou zijn geworden, en ik zou ook niet zover zijn gegaan om moeder te worden. Zonder Jewel Spitzer Rosenberg was er waarschijnlijk geen Juliet Spencer Homes geweest – een meisje van nu bijna drie, dat in biologische zin geen familie van mijn grootmoeder is, maar toch opvallend sterk op haar lijkt.

Toen de gebeurtenissen zich begonnen te ontvouwen die ik in dit boek in kaart breng, was mijn grootmoeder al te oud om ze nog helemaal te kunnen bevatten, en mijn moeder besloot haar niet te vertellen dat mijn biologische ouders zich weer hadden gemeld. Dat besluit zat ons geen van allen lekker – mijn grootmoeder was het hoofd van de familie, de bijenkoningin; zij was degene die we over alles raadpleegden, die altijd goede raad had, de opmerkelijke.

Ze is in juni 1900 geboren, vlak na de vorige eeuwwisseling, in North Adams, Massachusetts. Op haar vijftiende kreeg ze een bril, keek naar de lucht en zag dat die niet egaal zwart was – voor het eerst zag ze dat er sterren waren. Op haar zestiende, toen ze op de kweekschool van North Adams zat (tegenwoordig het Massachusetts State College), waar ze werd opgeleid tot onderwijzeres, werd ze bij de directeur geroepen, waar ze te horen kreeg dat ze nooit een baan als onderwijzeres zou krijgen omdat ze joods was. Dat vertelde ze aan niemand – alleen aan haar broer Charlie.

In het huis van mijn grootmoeder stond een tafel die in mijn geboortejaar door de Japans-Amerikaanse meubelmaker George Nakashima is gebouwd van hout dat mijn grootmoeder persoonlijk in zijn werkplaats in New Hope, Pennsylvania, had uitgezocht. Die tafel is ruim twee meter lang en van prachtig Frans notenhout. Hij is van een heel subtiele schoonheid, hij trekt de aandacht pas als je hem een tijdje kent, als je er gevoel voor krijgt. Dan wordt de betekenis van die tafel duidelijk.

Deze tafel was de zetel van de familie. Aan deze tafel zaten we bij elkaar, hier hield zij hof, mijn grootmoeder, onze matriarch, hier kwamen haar broers en zusters en hun kinderen en kindskinderen feestvieren, discussiëren en rouwen.

Aan deze tafel hebben heftige politieke en filosofische discussies tussen verschillende generaties plaatsgevonden, vooral als de broers van mijn grootmoeder, Charlie en Harold, er waren – de radicalen van de familie. Zij hebben hun eigen studie betaald, hun naam van Spitzer in Spencer veranderd, ogenschijnlijk om de familie tegen hun radicale reputatie te beschermen, maar ook om hun joodse afkomst te verbergen als het zo uitkwam. Ze hebben allebei rechten gestudeerd, maar nooit als jurist gewerkt. Charlie is in Chicago in een staalfabriek gaan werken en is vakbondsleider geworden, en Harold is met de danseres Elfrede Mahler getrouwd en naar Cuba gegaan, waar hij Engelse les gaf en zij het boegbeeld van de moderne dans van Cuba werd. Als ze in de stad waren, zaten we uren aan deze tafel over van alles en nog wat te debatteren, van de politieke situatie tot de teksten van liedjes die zij als kind hadden bedacht.

Aan deze tafel gaf mijn grootmoeder ons te eten. Ze had zichzelf lang geleden de traditionele Franse keuken aangeleerd waarmee mijn grootvader was opgegroeid – en ze had zich allang van boerenmeisje uit Massachusetts ontwikkeld tot een intellectueel om rekening mee te houden.

Als schrijver hou ik me bezig met verhalen – ook met familieverhalen. Maar in mijn jeugd wist ik nooit of ik de familiegeschiedenis nu als de mijne moest beschouwen of niet. Bij familiebijeenkomsten schoven oudooms en -tantes hun stoelen bij elkaar om te vertellen over het leven op de boerderij van mijn overgrootouders in North Adams, Massachusetts. Ik werd verliefd op hun verhalen, raakte eraan gehecht, maar voelde me er ook niet helemaal bij op mijn gemak – dit verhaal, waar iedereen het over eens was, was niet het mijne. 'Dit is niet mijn geschiedenis, dit is niet mijn familie,' fluisterde ik tegen mijn moeder. 'Wij zijn wél je familie, geloof me,' zei mijn moeder dan. Ik wilde haar wel geloven, maar ik had het gevoel dat er organisch iets niet klopte.

Ik had twee zwarte nichtjes, ook geadopteerd – ze woonden in de staat New York en we zagen elkaar niet vaak. Een keer toen we bij familie gingen eten – de grote mensen waren beneden en wij speelden boven – zei ik: 'Ik ben ook geadopteerd,' om aan te geven dat we iets gemeen hadden. De nichtjes keken me uitdrukkingsloos aan – 'Nietes.' 'Welles.' Ik was beledigd dat ze me niet geloofden – het kwam toen niet bij me op dat ze dachten dat ik onmogelijk geadopteerd kon zijn omdat ik net zo blank was als mijn ouders. 'Mam, ik ben toch geadopteerd?' riep ik naar beneden. 'Wat zijn jullie daar boven aan het doen?' luidde het antwoord.

Toen ze achter in de negentig was, ging ik mijn grootmoeder elke paar weken thuis, in de buurt van Washington, opzoeken. Daar zaten we dan aan de tafel thee te drinken en te praten. Onder het praten wreef ze over de tafel en maakte haar hand onwillekeurig draaiende bewegingen alsof ze het hout poetste, ze streek erover als over een talisman, troostend, om wijsheid te geven en te ontvangen.

We zaten elk op ons vertrouwde plekje, mijn grootmoeder aan het hoofd en ik links van haar.

Ze was inmiddels misschien wel ouder dan de boom was geworden waar de tafel van was gemaakt – in mijn gedachten zijn zij en die boom onlosmakelijk met elkaar verbonden.

'We zijn naar de oude boerderij geweest,' zeg ik heel hard.

'O ja? Konden jullie hem vinden?'

'Ja.'

Het weekend daarvoor hadden mijn neef (ook schrijver) en ik door de heuvels van North Adams rondgereden op zoek naar de boerderij waar mijn grootmoeder was opgegroeid. Het karrenspoor dat er vanaf de grote weg heen leidde was allang verdwenen, dus we konden er alleen lopend komen. We klommen er snel heen en baanden ons een weg naar de mythische boerderij.

De oorspronkelijke gebouwen stonden er nog, vervallen en half ingestort, maar wel herkenbaar. Ik riep beelden op van mijn grootmoeder als kind, een van de negen kinderen van het Litouwse immigrantengezin dat rond de vorige eeuwwisseling op de melkveeboerderij in Massachusetts woonde. Ik stel me voor hoe ze over het karrenspoor naar het schooltje met één lokaal liep, bosbessen plukte, mijn overgrootvader bij het melken hielp en voor de kippen zorgde. Ik herinnerde me dat ze vertelde dat de Mohawk Trail vlak achter haar huis liep, en in mijn verbeelding speelde ze buiten indiaantje, waarbij de boeren de cowboys waren en de koeien en ploegen de paarden en geweren.

Mijn neef maakte er een geïmproviseerde archeologische opgraving van en poerde met een mes in de grond bij een van de gebouwen. Na een paar minuten vond hij een oude fles.

'Dit moet wel iets betekenen,' zei hij.

Ik knikte. We pakten allebei een paar leien dakpannen van het ingestorte dak en ploeterden weer naar de auto.

'Vertel eens. Hoe stond alles erbij?' vroeg mijn grootmoeder, alsof ze half verwachtte dat de koeien daar nog steeds 's morgens door iemand naar de wei en 's avonds weer naar de stal werden gebracht.

'Interessant.' Ik vertelde over het landschap. Ze sloot haar ogen. Ik vertelde over de glooiende heuvels, de hoge bomen, Mount Greylock in de verte.

'Precies zoals ik het me herinner,' zei ze.

Ze keek naar haar tafel. Ik stelde me voor dat die tafel haar aan iets deed denken, aan een andere grote, lange boerentafel, in de keuken van mijn overgrootmoeder. Ik zie de negen broers en zusjes van mijn grootmoeder, die hun moeder in de keuken voor de voeten liepen. Ik zie mijn oudooms als puberjongens die 's zomers emmers water verkochten aan de eigenaars van oververhitte auto's langs de Mohawk Trail. Ik voel hun verdriet als hun veertienjarige zusje Helen in 1912 aan difterie sterft. Ik zie hun broer Maurice, die in North Adams is gebleven, daar dorpsdokter is geworden en meer dan twaalfhonderd baby's ter wereld heeft geholpen.

Mijn grootmoeder liet haar vinger langs de nerf van het hout glijden.

Weer wreef haar hand met draaiende bewegingen over het

hout. 'Vertel eens wat over jezelf,' zei ze.

'Het gaat goed, ik werk hard, ik overweeg een huisje op Long Island te kopen waar ik heen kan gaan om te schrijven.'

Ze knikte. 'Een eigen huis is belangrijk,' zei ze.

'En vertelt u nu eens wat over uzelf,' zei ik op mijn beurt.

'Ik heb niets te vertellen,' zei ze. 'Ik verveel me.'

Ze had haar hele leven gewerkt – fulltime, tot haar zesentachtigste. In 1918, twee jaar voor de invoering van het vrouwenkiesrecht, was ze in haar eentje naar Washington gegaan, waar ze een baan bij het ministerie van Oorlog vond en al spoedig haar broers en zusjes liet overkomen van de boerderij. In 1922 ontmoette ze mijn grootvader, de Roemeens-Franse hoedenmaker, toen ze de zomer doorbracht in haar geboortestreek, waar hij in het nabijgelegen Pittsfield, Massachusetts, in de hoedenzaak van zijn oom werkte. Halverwege de jaren twintig liet mijn grootvader zijn jongere broers Julien en Maurice overkomen in de hoop dat zij ook in Amerika zouden blijven. De jongens brachten de zomervakantie bij hem door, maar het beviel ze niet – ze konden geen vriendinnetje vinden omdat ze geen Engels spraken. Ze gingen terug naar Parijs en werden in de jaren veertig naar een concentratiekamp gedeporteerd – Julien eerst naar Drancy en vervolgens naar Auschwitz, en Maurice naar Auschwitz. Ze hebben het geen van beiden overleefd.

Later, in Washington, begonnen mijn grootouders een goedlopend wijnhuis, en op haar achtenzeventigste werd Jewel Rosenberg mede-oprichter en -directeur van de eerste Amerikaanse bank van en voor vrouwen.

Alles wat ik aan levenskunst bezit heb ik aan haar te danken. Na mijn afstuderen, toen ik schrijver wilde worden, leende ze me geld om een IBM Selectric-schrijfmachine te kopen. Ik betaalde haar trouw elke maand vijftig dollar terug, en toen alles was afbetaald, schreef ze een cheque uit voor het hele bedrag en gaf me die. 'Ik wilde alleen maar dat je wist wat het betekende om ergens voor te werken.'

Nu, aan de tafel, zuchtte ze. 'Ik weet niet wat ik de hele dag moet doen. Ik voel me niet nuttig meer.'

'Nu is het uw beurt om uit te rusten en anderen voor u te laten zorgen.'

'Ik hou niet van rusten, ik hou van werken.'

'Laten we een stukje gaan rijden,' zei ik, en ik stond op. We reden naar een boerderij in de buurt, waar mijn moeder altijd met mij heen ging toen ik klein was om appels te plukken en pompoenen te zoeken. Ik reed over een hobbelig weggetje naar de bessenstruiken.

'Waar zijn we nu? Het is hier mooi, het doet me aan North Adams denken.'

Ik zette de auto vlak bij een groepje bosbessenstruiken en deed haar portier open.

Ze liep naar de struiken en begon bessen te plukken en ze in haar mond te stoppen met haar achtennegentigjarige vingers, die opeens weer rap waren. Ze streek haar haar naar achteren, keek naar de lucht en liep langs de struiken, onderwijl aan één stuk door bessen plukkend. Ze was weer een meisje dat haar mandje met rijpe, zonwarme bessen vulde. 'Precies zoals vroeger.'

We reden naar huis, zij met het mandje bessen op schoot. Ze kneep me in mijn been. 'Ga je huisje maar kopen,' zei ze, en dat deed ik.

Ik belde haar vanuit het huisje op Long Island. Ik stond in mijn tuintje en vertelde haar wat ik aan het planten was: rozenstruiken, tulpenbollen, worteltjes, bieten en pompoenen. Ik had een lapje grond aan het eind van de tuin omgeploegd en noemde dat 'de akker'. Ik vertelde haar hoe ik de akker bewerkte en voor mijn gewassen zorgde – de enorme bevrediging die dat werk gaf, ver van de stad, met mijn handen wroetend in de aarde.

Ze werd negenennegentig. 'Wanneer kom je weer eens?' vroeg ze bij elk telefoongesprek wel een paar keer. 'Gauw,' zei ik dan. 'Ik kom gauw weer.'

En toen was ze er opeens niet meer, de enige die ik ken die op zijn negenennegentigste onverwacht is overleden. Ik haastte me naar Washington. Ik ging naar haar huis. Ik liep door de kamers. Ik ging aan de tafel zitten wachten. Ik had het gevoel dat zijzelf ook vond dat ze te snel was vertrokken. Ze leek er nog te zijn, rond te zweven, haar koffers te pakken.

Ik bleef een tijdje zitten en troostte me met de echo's en de voorwerpen, symbolen, dragers van de geschiedenis.

Aan het eind van de zomer trok ik mijn worteltjes uit de grond, er net zo trots op als op de verhalen en romans die ik had geschreven. Zij was degene met wie ik ze het liefst had willen opeten; zij was degene die zou begrijpen waarom ik ze bij het groene loof omhooghield en trots zei: Kijk eens wat ik heb gemaakt.

Ik zie nu dat ik het product van al mijn familieverhalen ben – van het ene meer dan van het andere. Maar uiteindelijk komt het allemaal op vier draden neer die zich om elkaar heen vlechten, dicht tegen elkaar aan, en hun wrijving en versmelting maken me tot degene die ik ben. Ik ben ook beïnvloed door een ander verhaal: dat van de geadopteerde, de uitverkorene, de buitenstaander die is binnengehaald. In de boekenkast in de huiskamer van mijn ouderlijk huis stond een cassette met twee boeken, *The Adopted Family*. Een van de delen was voor het geadopteerde kind bedoeld en het andere voor de ouders. Ik heb vaak met dat boek op schoot gezeten, niet precies begrijpend waar het over ging, maar wel overtuigd dat het van groot belang was, dat het in zekere zin letterlijk over mij ging. Ik voelde me net een pop waar een boek bij geleverd wordt.

Als kind verslond ik biografieën – vooral een kinderserie die *Childhood of Famous Americans* heette. Die las en herlas ik; twee zijn me vooral bijgebleven, die van Eleanor Roosevelt en Babe Ruth. Uiteindelijk vloeiden ze in mijn hoofd ineen tot één personage, Eleanor Babe, een soort proto-superheldin, die niet alleen organisaties als Unicef oprichtte, maar ook over een ongelooflijke effectbal beschikte. Terugdenkend aan die twee boeken begrijp ik waarom ze zich zo in mijn gedachten hebben verankerd: zowel Eleanor Roosevelt als Babe Ruth zijn door hun familie weggestuurd – Eleanor naar Londen, waar ze bij haar tantes woonde, die haar niet begrepen, en Babe na de dood van zijn moeder naar een weeshuis in Baltimore. Ik identificeerde me met hun buitenstaanderschap, hun eenzaamheid. Ze waren onzichtbare adoptiehelden – ze hadden niet alleen weten te overleven, ze hadden een succes van hun leven gemaakt.

Door de dood van mijn grootmoeder kreeg ik de drang zelf een kind te krijgen. Het moederschap leek me doodeng. Ik ben verschrikkelijk bang om me te binden en al even bang voor verlies – ik weet niet of dat voor iedereen geldt, maar bij mij spookt ook dat gestorven broertje nog steeds door mijn gedachten. Toen ik jonger was, dacht ik altijd dat ik een kind zou adopteren, maar na de dood van Ellen en mijn grootmoeder kreeg ik behoefte een biologisch, eigen kind te krijgen, dus besloot ik dat te proberen. Het was nooit bij me opgekomen dat het misschien moeilijk zou zijn om zwanger te worden. Ik begon op mijn negenendertigste, en uiteindelijk heeft het twee jaar, duizenden dollars, de beste medische zorg en twee miskramen gekost, maar toen werd mijn dochtertje dan toch geboren.

'Wat heb je toch?' vroeg mijn moeder. 'Is adoptie je te min?'

'Natuurlijk niet,' zei ik – want het lag anders: ik voelde me gedwongen om mijn uiterste best te doen een biologische echo voort te brengen, mezelf terug te zien, in de grote lijnen en in de details, de nauwste bloedverwantschap die maar denkbaar is.

Maanden na de dood van mijn grootmoeder vroeg mijn moeder of ik oma's tafel wilde hebben.

'Ik weet dat hij groot is en dat je klein woont, maar het lijkt me toch goed dat jij hem krijgt.'

De tafel kwam door de zijdeur naar binnen, zorgvuldig verpakt en door vier man gedragen.

'Dit zijn zware tafels,' zei een van de mannen, en hij had gelijk, maar de zwaarte was niet zozeer letterlijk als wel emotioneel. Ik had veel meer dan een meubelstuk geërfd – het was een mandaat om net zo hard te werken en net zo stijlvol en liefdevol te leven als zij.

Aanvankelijk leek de tafel hier misplaatst, verdwaald. Ik zette hem in de olie. Ik wreef hem met een zachte doek, ging met mijn handen over het tafelblad en merkte op hoe rijk van toon het was – het doorleefde oppervlak, dat Nakashima 'Kevinizing' noemde, naar zijn zoon Kevin. Ik dacht aan het levende hout en wat dat te geven had.

Ik gebruikte de tafel voor het eerst toen ik een vriendin voor de lunch had uitgenodigd. Ik ging op mijn gewone plekje zitten. In plaats van het schilderij aan de muur van de huiskamer van mijn grootmoeder zag ik nu het vogelhuisje, door het raam. Ik dekte voor twee personen. Mijn vriendin ging op de plaats van mijn grootmoeder zitten, en dat deed op de een of andere manier vreemd aan.

'We moeten van plaats wisselen,' zei ik.

Mijn vriendin keek me verwonderd aan – ze begreep er niets van.

'Zullen we ruilen?' vroeg ik, en ik nam haar plaats in.

Als de tafel droog wordt – dorstig – ziet het blad er bleek en uitgedroogd uit. Ik wrijf het met olie; het drinkt en gaat dan weer stralen. En het is maar een tafel, een houten meubelstuk, maar het is een prachtige, voortdurende herinnering aan de kunst van het leven, de noodzaak de samenhang in het oog te houden. In dit huisje – dat ik zonder de instemming van mijn grootmoeder of haar gift voor de aanbetaling nooit zou hebben gekocht – kreeg ik het telefoontje van mijn moeder dat mijn moeder dood was. In dit huisje had ik mijn eerste miskraam en vierde ik een jaar later de eerste Kerstmis en Chanoeka van mijn kind. In dit huis, aan deze tafel, heb ik in mijn eentje gezeten toen ik de vier dozen uit het huis van mijn moeder in New Jersey uit ging pakken. Op deze tafel konden de dozen staan.

De tafel is het middelpunt van ons gezinsleven. Hier verzamelt zich in het weekend mijn jonge gezin – mijn dochtertje maakt hier haar tekeningen en we versieren samen de koekjes die we hebben gebakken. Als ik hier zit, herinner ik me altijd weer hoe ik bij mijn grootmoeder in de keuken zat en haar kruidenrek met de potten kaneelhartjes en musketbolletjes voor op de koekjes bewonderde. Nu zit ik op de plaats van mijn grootmoeder naar mijn dochter te kijken, die op mijn oude plekje zit, links van me. Ik kijk naar het kleine meisje dat me meer dan wie ook aan mijn grootmoeder doet denken. Ze heeft dezelfde gezichtsuitdrukkingen, dezelfde gebaren, dezelfde compassie in haar oordelen. Ik ben getuige van de manier waarop ze zich door haar leven beweegt, van het zelfvertrouwen waarmee ze alles tegemoet treedt. Net als mijn grootmoeder heeft ze er plezier in te zorgen dat het anderen goed gaat. En terwijl ik dat bedenk, staat ze op, komt naar me toe en duwt me zachtjes van mijn plek.

'Ik wil jouw stoel,' zegt ze, en ze klautert erop en neemt de vrijgekomen plaats in.

Ik ben het kind van mijn moeder en het kind van mijn moeder, ik ben het kind van mijn vader en het kind van mijn vader, en als die zin iets te veel aan Gertrude Stein doet denken, dan ben ik misschien ook wel een beetje haar kind. Maar het belangrijkste is dat ik nu Juliets moeder ben, en dat brengt een ongekende liefde en angst met zich mee die ik nooit eerder heb gevoeld, en daarvoor – en ze is werkelijk een mengeling van alle vier families – dank ik al mijn moeders en vaders, want zij is mijn grootste geschenk.

Wilde ik gevonden worden? Nee. Betreur ik dat het is gebeurd? Nee. Ik kan me niet meer voorstellen dat ik het niet zou weten.

Dankwoord

Heel veel dank aan: Phyllis R. Homes, Joseph M. Homes, Jon S. Homes, Edith Dugoff, Dan Gerstein, Belle Levin, Rita Ogren, Buddy Rosenberg, Marc H. Glick, Alison Smith, Amy Hempel, Patricia McCormick, Marie Sanford, Paul Slovak, Ellis Levine, Sarah Chalfant, Jin Auh en de medewerkers van het Wylie Agency, Amy Gross, David Remnick, Deborah Treisman, Peter Canby en de medewerkers van de *New Yorker*, Sara Holloway, Ian Jack en de medewerkers van *Granta*, David Kuhn, Lanny Davis, Harvey Schweitzer, Brian Frosh, Elizabeth Samuels, Linda Reno, John Gray, Maria Dering, Alice Evans, Erin Markey, Michael Oster, Trent Duffy, Elizabeth MacDonald, Bliss Broyard, Mary Fitzpatrick, Betsy Sussler, Hilma Wolitzer, The Writers Room, Elaina Richardson, Candace Wait en de Corporation of Yaddo.